CYFRES Y CEWRI

CYFRES Y CEWRI 27

Crych dros dro

Gwilym Owen

Gwasg
Gwynedd

Argraffiad Cyntaf — Tachwedd 2003

© Gwilym Owen 2003

ISBN 0 86074 198 2

*Cyhoeddwyd ac argraffwyd
gan Wasg Gwynedd, Caernarfon*

Cynnwys

Cropian

Falle fod yna ryw neges go arwyddocaol yn y ffaith nad oes yna, bellach, ddim ar ôl o'r bwthyn bach ble gwelais i gyntaf olau dydd ar yr ail ar bymtheg o Hydref, 1931.

Penbont oedd enw'r tŷ, ond pan es i heibio'r dydd o'r blaen doedd yna ddim arwydd o gwbl fod yno gartref wedi sefyll ar y fangre. Ond yno i Benbont y symudodd fy nhad a'm mam i sefydlu eu cartref cyntaf, ac roedd hynny'n eithaf naturiol gan fod y ddau ohonyn nhw'n gweithio fel gwas a morwyn ar fferm Gwredog gerllaw.

Ar y diwrnod y dois i i'r byd yn y siambar, doedd yna neb o gwmpas – ond Mam ei hun, wrth gwrs, a'r hen Jane Morris, y fydwraig amatur oedd yn bresennol yn y rhan fwyaf o enedigaethau ardal Llannerchymedd y dyddiau hynny. Yn ei thro, mi fu Jane Morris yn bresennol hefyd pan anwyd fy nau frawd, Derwyn a Tecwyn, a'm chwaer, Betty.

Pan nad oedd hi'n gweini yn y genedigaethau mi fyddai hi hefyd yn cael y fraint o ymweld â'r meirw – hi fyddai'n golchi a pharatoi cyrff cyn eu claddu. Do, fe welodd Mrs Morris gychwyn a diwedd teithiau bywyd degau o drigolion y Llan yn nhri, pedwar a phumdegau'r ganrif a aeth heibio. Pan nad oedd hi'n gwneud y dyletswyddau hynny roedd hi'n mynd o gwmpas yn glanhau a golchi ar ffermydd yr ardal, yn ogystal â gofalu'n dyner am ei gŵr, James, a'i mab anabl, Ned.

Oedd, roedd Jane Morris yn un o bileri'r achos y dyddiau hynny ac yn symbol o galedi cyfnod cyn dyfodiad y Wladwriaeth Les.

Does gen i fawr o gof am y dyddiau cynnar hynny ym Mhenbont – dim ond yr hyn glywais i gan fy mam a 'nhad. Mae'n ymddangos imi gael blwyddyn gyntaf o'm difetha'n llwyr. Roedd Mrs Williams, Gwredog Isaf, lle'r oedd Mam yn gweithio cyn priodi, yn hynod o garedig hefo'r babi newydd, a'i phlant hithau, Mair a Goronwy, yn rhoi llawer gormod o sylw i'r boi bach.

Ond cyfnod byr o fyw yn yr haul gafodd yr hogyn bach oherwydd, mewn pedwar mis ar ddeg, roedd ganddo frawd bach. Roedd Derwyn wedi cyrraedd, ac yn fuan iawn wedi sefydlu'i hun fel aelod cyflawn o'r teulu ac yn hawlio'i le, ac o fewn dwy neu dair blynedd roedd y ddau ohonom mewn cystadleuaeth â'n gilydd.

Fe ymddengys mai un o'n pleserau diniwed – ond pur gostus ar aelwyd dlawd lle'r oedd pob ceiniog yn cyfrif – oedd gwrando ar yr hanner dwsin o ieir oedd gan 'Nhad a Mam yn cyhoeddi'n swnllyd eu bod wedi dodwy. Dyna'r arwydd i'r ddau ohonom ruthro tuag at y cwt bach i gael gafael ar yr ŵy a mynd â fo i Mam. Ond, yn amlach na pheidio, mi fyddai'r ddau ohonom yn cyrraedd yr un pryd ac mi fyddai hi'n mynd yn ffradach rhyngom gyda'r canlyniad y byddai'r wyau'n troi'n gwstard yn y fan a'r lle. Dyna pryd y byddai Mam yn arddangos ei dawn i gosbi'n gofiadwy – dawn y dois i i'w phrofi'n bur aml yn ystod blynyddoedd plentyndod. Yn gwbl haeddiannol ar bron bob achlysur.

Wn i ddim pam, ond ddaru ni ddim aros yn hir iawn ym Mhenbont. Pan oeddwn i'n tynnu at fy nhair oed fe benderfynwyd ei bod hi'n amser symud tŷ. Dwi'n cofio diwrnod y mudo'n iawn. Roedd yr ychydig gelfi oedd gennym wedi eu llwytho ar drol – mae'n amlwg fod rhywun wedi bod yn ddigon caredig i roi benthyg y cyfryw drafnidiaeth y diwrnod hwnnw. Roedd Derwyn yn benderfynol o gario tegell a dwi'n meddwl mai sosban oedd yn fy llaw i. Doedd y daith ddim yn bell. Symud roeddan ni i fwthyn bach arall ryw hanner milltir yn nes at Lannerchymedd, ac o'r diwrnod hwnnw ymlaen, y bwthyn hwnnw – Glan Rhyd – fyddai'r cartref.

Tŷ bychan iawn oedd o – ystafell fyw, cegin gefn, siambar a chroglofft – a'i rent yn bum punt y flwyddyn ac yn daladwy i'r perchennog, Mr Williams, Ceidio. Yno y ganwyd fy mrawd, Tecwyn a'm chwaer, Betty. O fewn llai na saith mlynedd, roeddan ni'n uned deuluol o chwech.

Doedd bywyd ddim yn gyfforddus iawn i 'Nhad a Mam. A dweud y cyfiawn wir, roedd o'n gyfnod o galedi mawr. Labro ar ffermydd oedd 'Nhad, a byddai'n cael cyfnodau o ddiweithdra, a phan *oedd* o'n gweithio doedd y cyflog ddim yn fawr. Ond doedd gan y creadur ddim dewis ond neidio at bob math o waith caled a gynigid iddo – roedd ganddo bedwar o blant i'w bwydo a'u dilladu, ac mae'n ddrwg gen i orfod dweud ond roedd yna rai o ffermwyr yr ardal yn barod iawn i fanteisio ar ei sefyllfa a thalu cyflog mwnci iddo am ei lafur. Doedd o ddim yn ddyn mawr cydnerth ond doedd yna ddim asgwrn diog yn ei gorff. Roedd o bob amser yn rhoi o'i orau glas ond roedd yna ddiawliaid o ffermwyr, a rhai o'u meibion, oedd yn barod i odro pob diferyn o'i egni.

Er ei fod o'n casáu'r sefyllfa ac yn bytheirio'i feirniadaeth gartref ar yr aelwyd, parhau i dderbyn pob gwaith y bydda fo gan edrych ymlaen at ddiwedd yr wythnos i gael dod adref ar nos Wener hefo'i gyflog pitw, a rhoi'r cyfan ar y bwrdd i Mam. Mi fyddai hithau wedyn yn rhannu'r ysbail – hyn a hyn am fwyd, hyn a hyn tuag at y rhent, hyn a hyn am y glo ac ymlaen ac ymlaen. Roedd yna le i bob ceiniog – a doedd yna ddim ar ôl.

Weithiau fyddai yna ddim gwaith i'w gael a byddai'n gorfod mynd i'w gas le, 'Offis y Dôl' yn y Llan. Yn fanno mi fydda fo'n gorfod mynd trwy uffern y *Means Test*. Rhyw bwt o swyddog yn holi a stilio ac yn rhyw hanner awgrymu nad oedd y creadur yn deilwng o gael cymorth i fyw a magu'i blant. Roedd yr hen Hugh yn casáu'r ymarferiad hwnnw ac yn diawlio a melltithio yn ei ddull dihafal ei hun.

Ond yr oedd ganddo fo un ffordd o ychwanegu at ei enillion prin, a dal cwningod oedd y fenter honno. Roedd o'n ffrindiau mawr hefo Emlyn, mab ffarm gyfagos Pwllgynnau Uchaf, ac aeth y ddau ati hefo'i gilydd i ddal a gwerthu cwningod. Roedd dipyn o farchnad y dyddiau hynny ac roedd Owen Williams, tad Emlyn, wedi caniatáu iddyn nhw fynd ati i ffureta a thrapio ar dir ei fferm o. Roedd hynny'n gychwyn da, ond roedd y ddau'n mynd dros ben llestri weithiau ac yn mentro i diroedd eraill – yn 'potsio', a dweud y gwir. Roedd hynny'n chwarae hefo tân go iawn. Ofn pennaf fy nhad oedd cael ei ddal yn y farchnad gwningod, gan y gallai hynny olygu y byddai cythreuliaid yr Offis Dôl yn penderfynu na fyddai ceiniog arall yn dod o goffrau'r Wladwriaeth. Ond, rywsut, fe fu ffawd o'i blaid a chafodd o mo'i ddal; o'r herwydd, fe allodd liniaru rhyw gymaint ar galedi a thlodi'r cyfnod.

Ond roedd y diolch am drefnu i gael y ddau ben llinyn ynghyd i Mam. Hi oedd y trysorydd. Gwaith rhyfeddol o hawdd ydi bod yn drysorydd pan mae'r coffrau'n llawn – tasg llawer anoddach ydi gwneud y gwaith pan mae'r pwrs bob amser yn fwy na hanner gwag. Rywfodd neu'i gilydd, fe gafodd Mam y ddawn o wneud i bob ceiniog gyrraedd ei nod. Yr ofn mwya oedd ganddi oedd mynd i ddyled, a'i phregeth fawr yn y cyfnod hwnnw (ac ar hyd ei hoes, a dweud y gwir) oedd: 'Os na fedrwn ni ei fforddio fo, yna rhaid byw hebddo fo.'

Fyddai hi byth yn symud i unman o libart Glan Rhyd. Anaml iawn y gwelech chi hi'n mynd i'r Llan i ymweld â'r teulu nac i siopa. Am ryw reswm, roedd hi wedi penderfynu cadw ei bywyd ei hun iddi hi ei hun, ac am y rheswm hwnnw, mae'n debyg, doedd ein cysylltiadau teuluol ni ddim yn agos.

Roedd Mam yn un o saith o blant ond fuasech chi byth yn credu hynny. Roedd 'Nhad yn un o bump ond doedd yntau chwaith ddim yn cadw'n agos at y teulu. Roedd Nain Ty'n Cae yn dal yn fyw, a Nain a Taid Llan, ond doedd fy rhieni ddim yn agos atyn nhw chwaith. O ganlyniad, pell oedd y cysylltiad rhyngof fi a nhw hefyd. Wnes i rioed ddeall yn iawn pam yr oedd hynny'n bod – a wnes i ddim holi fawr chwaith. Ond, rywsut, o edrych yn ôl ar bethau, synnwn i ddim na fu hynny'n golled fawr imi mewn mwy nac un ffordd.

Ond i ddod yn ôl at Mam a'i rheolaeth o'i chyllideb. Roedd yr hyn a wnaeth yn wyrth. O ran bwydo'r teulu, doedd dim amdani ond bwyd plaen, syml – llawer ohono'n dod o'r ardd fawr oedd ynghlwm wrth Glan Rhyd. Mae'n ddrwg gen i gyfaddef, ond ychydig iawn oedd fy nghyfraniad i tuag at baratoi'r ardd honno. Roeddwn, ac rwy'n dal i fod, yn arddwr anobeithiol. Roedd Derwyn a Tecwyn yn gwbl wahanol ac mi fuon nhw'n gefn mawr i 'Nhad.

O ran cost, mae'n debyg mai dilladu'r pedwar ohonom oedd y broblem fwya i Mam ond roedd ganddi ei threfn yma hefyd, diolch i gwmni hefo enw Cymreig oedd â'i bencadlys ym Manceinion. Roedd gan Mam ei threfniant misol hefo'r cyfaill o'r enw J. D. Williams. Roedd y Bonwr Williams yn anfon ei gatalogau i Glan Rhyd gan wybod, dwi'n siŵr, y byddai yna archeb ar ei ffordd ar gyfer y pedwar plentyn oedd yn gymaint o ffans o'i gynnyrch. Dyna lle byddai Mam yn ein mesur yn ofalus cyn llenwi'r ffurflen a'i gyrru'n ôl. Mawr fyddai'r disgwyl am y diwrnod pan fyddai'r post yn cyrraedd a ninnau'n aros i weld y dillad newydd a chael cyfle i'w gwisgo am y tro cyntaf. Unwaith y mis byddwn yn cael fy anfon i'r llythyrdy i nôl *Postal order* am bunt, a stamp dwy a dima'. Dwi'n dal i gofio hyd heddiw sut byddai J.D. yn cael ei dalu!

Am bum mlynedd cyntaf fy mywyd, mae'n debyg na welais innau fawr ddim o fywyd y tu allan i libart Glan Rhyd. Allen ni ddim fforddio mynd i unman. Roedd digon o le i chwarae yn yr ardd ac yn y caeau eang o gwmpas y tŷ, ac roedd yna afon fach yn rhedeg heibio gwaelod yr ardd. Roedd yna goed i'w dringo ac afon i bysgota ynddi – digon i lenwi diwrnod plentyn bach. Doedd gynnon ni ddim radio, doedd dim sôn am deledu a doeddwn i ddim wedi meddwl am ddarllen fawr ddim cyn y diwrnod hwnnw pan aeth Mam â fi i'r Ysgol Fach yn y Llan am y tro cyntaf.

Roedd o'n brofiad ysgytwol i greadur bach oedd – bryd hynny, beth bynnag – yn gwbl ansicr ohono'i hun. Doeddwn i erioed wedi bod yng nghwmni plant eraill, ar wahân i'm dau frawd, a doeddwn i ddim wedi cyfarfod â genethod bach yr un oed a fi.

Mae'r pnawn hwnnw pan gefais i fy nghyflwyno am y tro cyntaf i Miss Hughes, Bryncelyn, y brifathrawes, a Miss Owen, Dafarn Botel, yr athrawes ddosbarth, wedi'i serio ar fy nghof. Y cof sy gen i oedd fod Miss Hughes yn ymddangos yn 'ddynes neis' garedig ond doedd hi ddim yn gyfrifol am y dysgu. Roedd y gorchwyl hwnnw'n eiddo i Miss Owen.

A dyna ichi deyrn o ddynes! Doeddwn i ddim yn gwybod hynny ar y pryd ond buan iawn y clywais i ac y deallais i fod y dywededig Jane Owen yn chwedl yn ei hoes ei hun. Er mai gofalu am blantos pump a chwech oed oedd hi, roedd ganddi ei ffordd ei hun o wneud yn sicr fod pawb yn deall mai hi oedd y bos. Roedd yna straeon ei bod hi'n taro plant hefo coes cadair oedd ganddi dan y ddesg, ond welais i erioed mo hynny'n digwydd. Ond fe'i gwelais hi'n rhoi ambell gefn llaw ar draws ambell foch fach ddiniwed yr olwg ac fe deimlais ambell binsiad ar fy mraich nes 'mod i'n gwichian mewn poen. Ond wedi dweud hynny, roedd Jane Owen yn llwyddo i ffocysu'r meddwl ar ddysgu ac i'n paratoi i symud i'r Ysgol Fawr.

Ar ôl symud i fanno y dechreuodd pethau ddatblygu go iawn yn fy hanes i. Wedi cyrraedd Standard Wan a chael Myfanwy Thomas, athrawes ifanc fywiog ac

13

afieithus, i ofalu amdanom, roedd mynd i'r ysgol yn bleser. Uniaith Gymraeg oedd y gwersi efo hi a daeth blas ar ddechrau darllen. Roedd hi'n barod i roi her i bob un ohonom i ledu'n gorwelion. Pethau bychain oeddan nhw – ond pethau a fu'n hynod bwysig i blentyn naïf a diniwed o gefn gwlad. Dwi'n dal i gofio hyd heddiw am Tegwyn Manceinion a finnau'n treulio sawl awr ginio'n pastio darnau bach gwyrdd i lenwi clamp o goeden Dolig yr oedd Myfanwy Thomas wedi'i rhoi i fyny ar y wal. Dydio'n rhyfedd y pethau mae rhywun yn ei gofio?

A dyna'r oriau meithion a dreulion ni yn Standard Tŵ hefo Miss Mary Jones, Hafod y Mynn (Mrs John Owen, wedyn). Y hi gafodd y dasg o gyflwyno plant Llannerch-ymedd y dwthwn hwnnw i'r iaith fain ac fe wnaeth hynny gydag arddeliad. Sgwn i sawl gwaith y gwnaeth hi'n gorfodi i lafarganu *'The cat is on the mat'* a degau o frawddegau anghofiadwy tebyg. Ond ta waeth, roedd Mary Jones, gyda gwên a gwg, wedi llwyddo i agor drws arall pwysig i blant Athen Môn. A phan ddaeth hi'n amser mynd i Standard Thri roeddwn i'n barod am fwy – ond, rywsut neu'i gilydd, ddaru pethau ddim gweithio felly.

Alla i ddim esbonio *pam* yn hollol, ond blwyddyn anhapus fu'r flwyddyn honno. Roeddwn i ofn yr athrawes. Roedd hi'n wraig greulon mewn gair a gweithred. I fod yn gwbl deg, ddaru hi erioed arddangos ei hagweddau anffodus tuag ata' i'n bersonol, ond fe lwyddodd hi rywfodd i'm gwneud yn anghartrefol yn ei chwmni ac, o ganlyniad, ni chymerais y camau ymlaen a ddisgwylid. Fe barhaodd hynny am ddwy flynedd, hyd nes i mi gyrraedd dosbarth y prifathro, O.T. Jones.

14

Dyma ddosbarth y sgolarship a dyna oedd ei uchelgais fawr o – cael cynifer drwy'r arholiad hwnnw ag oedd yn bosib. Ac roedd o'n ei medru hi. Roedd o'n glamp o athro – yn ddisgyblwr llym, ond teg, ac yn cymryd diddordeb ysol yn ei ddisgyblion ac yn safonau'i ysgol. Roedd o'n biler yn y gymdeithas leol ac yn fawr ei barch gan bawb – ac mae fy nyled i'n fawr iddo fo. A, diolch iddo fo, fe ges i fynd i Ysgol Ramadeg Llangefni. A diolch mwy na chafodd o ddim byw i weld cymaint o fethiant a fûm i rai blynyddoedd yn ddiweddarach. Rydw i'n gwybod y bydda fo wedi cael ei siomi'n fawr.

Ond, ar wahân i fynd i'r ysgol i ddysgu – ac roedd y daith yn golygu cerdded bron i ddwy filltir y dydd yn ôl ac ymlaen – roedd yna bethau go fawr yn digwydd ym mywyd plentyn, hyd yn oed yng nghefn gwlad Ynys Môn. Roeddan ni blant yn clywed pobl yn sôn am ryw greadur peryglus o'r enw Hitler, a bod yna arwydd y byddai yna ryfel mawr ac ofnadwy yn digwydd cyn bo hir. Doeddan ni, mae'n rhaid cyfaddef, ddim yn gwybod beth oedd rhyfel, ond roedd yn amlwg o wrando ar sgwrs pobl fod yna bryder mawr yn eu plith nhw. Mi roeddan ninnau wedi arfer gorymdeithio o'r ysgol i'r gwasanaeth blynyddol ger y Gofeb yn y Llan ar foreau Tachwedd yr unfed ar ddeg. Roeddan ni wedi gweld ambell un yn sychu'r dagrau pan fyddai'r gweinidog neu'r ficer yn cyfeirio at 'yr hogiau a gollwyd', ond doeddwn i, beth bynnag, ddim yn deall ein bod ni ar fin ffarwelio â chenhedlaeth arall o fechgyn ifanc y Llan.

Ond fe ddaeth Medi 1939, a dwi'n cofio 'Nhad yn dod adref a dweud, 'Rydan ni mewn rhyfel'. Cwestiwn cyntaf Mam oedd, 'Fydd raid i *ti* fynd, tybed?' Dwi ddim yn cofio beth oedd ei ateb o, ond mae'n rhaid na theimlodd y Swyddfa Ryfel fod angen gwasanaeth Hugh Owen, Glan Rhyd, a diolch am hynny. Ond nid felly y digwyddodd hi yn hanes criw mawr o hogia Llan, ac un o'r rhai cyntaf i gael galwad oedd Wil Francis, unig frawd fy mam. I'r fyddin yr aeth o, ac fe'i gwelais i o yn ei lifrai unwaith neu ddwy pan ddeuai adref am ychydig ddyddiau. Yn ôl a ddeallais, roedd o'n gwasanaethu ar rai o'r llongau oedd yn morio o gylch Môr yr Iwerydd. Ei waith oedd gofalu am y gynnau mawr ar y llongau hynny ond doedd o ddim yn gallu sôn am fanylion ei waith. *'Careless talk costs lives'* – dyna oedd slogan fawr y cyfnod.

Gan mai Francis oedd ei gyfenw, a bod gan bawb yn y Llan lysenw, yn naturiol iawn fel 'Drake' yr oedd pawb yn sôn amdano yn y pentref. Un bore fe ddaeth y newyddion syfrdanol i Taid a Nain fod eu hunig fab, William Francis, yn *'missing – believed killed in action'*. Drake oedd y cyntaf o fechgyn y Llan i farw yn rhyfel 1939–45 ac roedd y newyddion yn glamp o sioc a siom i'w dad a'i fam, wrth gwrs, ac i'w chwiorydd hefyd. Roedd Mam, fel un ohonynt, wedi'i llwyr dristáu ac fe gymerodd fisoedd iddi dderbyn na fyddai ei brawd byth yn dod yn ôl. Yn wir, dydw i ddim yn gwbl sicr iddi hi fyth anghofio'r diwrnod y daeth y newydd drwg. Roedd hi'n casáu rhyfel ac unrhyw sôn am rywun yn gorfod ymuno â'r lluoedd arfog, hyd yn oed yn amser heddwch.

Ond roedd blynyddoedd y rhyfel yn gyfnod digon diddorol yn ein bywyd bach gwledig ni. Roeddan ni'n gorwedd yn y gwely yn yr hen gartref yn gwrando ar sŵn awyrennau'n hedfan heibio yn ystod oriau'r nos, ac yn credu'n bod ni'n adnabod y gwahanol synau uwch ein pennau. Doedd gynnon ni ddim syniad, wrth gwrs, ond lawer gwaith y gwaeddais i ar ôl gwrando am ychydig eiliadau, 'German oedd honna!' – ac mi fyddai pawb yn distewi am funudau, jyst rhag ofn i fom ddisgyn arnom ni yn Glan Rhyd. Duw a ŵyr pam y buasai peilotiaid Hitler a Goering yn penderfynu ar y fath darged. Ond peth fel'na ydi dychymyg plentyn nad oedd ganddo syniad o gwbl beth oedd yn digwydd yn y byd mawr o'i gwmpas.

Roeddan ni, wrth gwrs, yn cael ein hyfforddi yn yr ysgol sut i ymateb os byddai *air raid* yn dod uwchben Llannerchymedd. Os oeddan ni'n byw yn rhy bell i gerdded adref, roeddan ni i fynd i gartrefi perthnasau yn y pentref. Lawer gwaith, pan oeddan ni ar ganol gwers, byddai'r corn yn canu a ninnau'n rhedeg fel cwningod o'r ysgol. Plant y pentref yn mynd adref i guddio yn y twll dan grisiau a ninnau'n ei gwneud hi am dŷ Nain a Taid. Fel arfer chawsen ni ddim mynd ymhellach na drws y ffrynt, ac yno y byddai fy nau frawd a minnau hefo'r *gas masks* yn barod yn eistedd ar garreg y drws yn disgwyl am yr *all clear* i ni gael mynd yn ôl i'r ysgol. O edrych yn ôl, roedd yr ymarferiad yn glamp o antur ar un llaw ac yn wastraff amser llwyr ar y llaw arall, ac yn profi gwirionedd y gosodiad 'nad oes baradwys fel paradwys ffŵl'.

Yr oedd yr un peth yn sicr o fod yn wir am y criw cymysglyd, ond cwbl frwdfrydig, a'u galwai eu hunain yn *Home Guard* ac *Air Raid Wardens* ac a weithredai yn yr ardal. Oedd, roedd *Dad's Army* yn fywiog iawn yn ein plith ni. Ac ni welwyd erioed griw rhyfeddach na'r garfan a fyddai'n troi allan yn eu lifrai ac yn mynd trwy'i pethau yn dysgu martsio a thaflu *rifles* o gwmpas eu pennau.

Ar ambell benwythnos mi fydden nhw'n cael yr hyn a elwid yn *manoeuvres* ac *exercises*. Roedd yna olwg y cythraul arnyn nhw ar ôl llusgo trwy fwd ffosydd yr ardal yn ffugio ymladdfa go iawn hefo criwiau o'r ardaloedd cyfagos. Tanio blancs yr oeddan nhw, diolch i'r nefoedd, a thaflu bagiau o flawd at ei gilydd. Ac yn cael cymaint o lwyddiant nes buasai rhywun yn taeru mai rhes o ddynion eira canol haf oedd yn ei hel hi am adref yn hwyr ar bnawn Sul o Fehefin.

Pinacl y cyfan fyddai ambell bnawn Sadwrn pan fyddai'r fyddin leol yn troi allan yng nghwmni milwyr o wersyll Tŷ Croes ac awyrenwyr o wersyll y Llu Awyr yn y Valley. Mi fyddai'r job lot yn martsio ar hyd strydoedd y Llan i gychwyn ymgyrch codi arian i gronfa'r Cynilion Cenedlaethol – y *National Savings*. Sôn am wahaniaeth rhwng sofran a swllt! Yr hogia amser llawn yn gaboledig ddisgybledig a'r criw lleol fel geifr yn ystod storm o fellt a tharanau. Pawb yn gwneud eu gorau glas i gael cydweithrediad rhwng coesau a breichiau ond y cyfan yn mynd yn shambyls llwyr. Erbyn diwedd y pnawn, dwi'n siŵr eu bod nhw'n barod iawn i daflu'r lifrai i'r cwpwrdd ac anghofio am ryfel – o leiaf tan yr wythnos nesaf.

Un o fendithion eraill y cyfnod, i ni blant ysgol, oedd y cyfle i gael cyfnodau o'r ysgol i fynd i weithio ar y ffermydd cyfagos i helpu yn ystod cyfnodau'r cynhaeaf. Wrth gwrs, roedd y cyfle i golli gwersi'n fwy apelgar i rai ohonom yn fwy na'r gweddill. Ond y fendith fwyaf i mi, ac i Mam hefyd, oedd ei fod o'n gyfle i ennill dipyn bach o arian ychwanegol i liniaru peth ar y tlodi teuluol. Mi fyddai yna waith arbennig o galed i'w gael yn ystod cyfnod plannu a chodi tatws. Rydw i'n dal i gofio'r hen gefn bach tila oedd gen i'n ofnadwy o boenus wrth blannu a phigo'r bondibethma datws yn Pwllgynnau Isaf, Pwllgynnau Uchaf, Fron, Ceidio, Tynygongl a Cheidio Isaf.

Ond mwy poenus a gwaeth na thrin tatws fyddai helpu, neu geisio helpu, ar ddiwrnod dyrnu ar yr un ffermydd. Rywsut – ddaru neb rioed esbonio *pam* i mi – y dasg a gawn i ymhob man fyddai 'cario us'. Clamp o nithlan fawr (nifer o sachau wedi'u huno â'i gilydd) i'w llenwi â'r gwastraff llychlyd o dan y dyrnwr, a'i gario i siediau cyfagos i'w roi o dan y gwartheg. O fore gwyn tan nos roedd y dyrnwr yn chwydu'i wastraff nes 'mod i'n gweddïo am amser cinio. A dyna bleser oedd hwnnw. Roedd cinio diwrnod dyrnu yn rhywbeth yr ydw i wedi dal i'w gofio. Dwi'n dal i ffroeni'r arogl hyfryd a fyddai'n dod o gyfeiriad y cinio oedd yn barod ar ein cyfer yn y ddau Bwllgynnau. Roedd Mrs Prytherch yn y naill a Mrs Williams yn y llall yn giamstars ar baratoi gwledd go iawn, ac roedd meddwl am godi oddi wrth y bwrdd ar ôl bwyta bwyd mor flasus yn dreth ar greadur diog a hynod flinedig fel fi. Ond doedd dim dewis – ar ôl hanner awr o nefoedd wrth y byrddau, yn ôl at yr us a'r nithlan oedd rhaid mynd. Ac ar ddiwedd y dydd mi fyddai gen i swllt neu ddau i'w roi ar y bwrdd i Mam. Roedd y wledd wrth y byrddau a'r croeso ar ôl cyrraedd adref yn lliniaru rhyw gymaint ar y blinder a'r boen yn y cefn a'r briwiau ar y dwylo.

Dyddiau felly oedd dyddiau rhyfel yn fy myd bach gwledig a thlawd i. Cymysgedd o lawenydd a phoen.

Does gen i ddim atgofion o fod yng nghwmni nifer fawr o blant o'm hoed i – dim ond yn yr ysgol yr oeddwn yn cael eu cymdeithas nhw. Doedd gen i ddim rhyw gylch mawr o ffrindiau yn fanno chwaith. Mae'n debyg mai Tegwyn Manceinion, Bob Ceidio a Hugh a Dafydd, Bryn Garth oedd y rhai agosaf. Ond, gan fod Glan Rhyd gryn bellter o bentre'r Llan, yno yn y filltir sgwâr a'n libart ein hunain yr oeddan ni'n byw a bod.

Unwaith yr oedd fy mrodyr a finnau'n cyrraedd adref o'r ysgol, roedd gynnon ni'n dyletswyddau. Cerdded ar draws dau o gaeau Ceidio gyda dwy bwced i gael dŵr yfed o'r ffynnon fach oedd yn rhedeg o dan y tir. Mynd ar draws cae arall i Bwllgynnau Uchaf i nôl y pwys menyn fferm ardderchog yr oedd Mrs Williams yn ei werthu i Mam yn wythnosol a chael cyfle i gael brechdan jam fendigedig pan fyddai'r teulu'n cael te. Neu, wrth gwrs, gerdded yr hanner milltir boenus heibio mynwent ac Eglwys Ceidio i mofyn peint neu ddau o lefrith o'r fferm o'r un enw. Ac mi fyddai hynny ar ôl galw yn siop John Benja Jones i gael llond bag o fwyd, neu alw yn yr Efail hefo Richard Evans i gael 'jariad' drom o baraffin ar gyfer y lamp i'n goleuo ar nosweithiau hirion y gaeaf. Roedd hi'n amser gwely'n fuan iawn wedi gorffen popeth, yn enwedig felly yn nhrymder y gaeafau hir.

Prin iawn fu fy nghysylltiad â lleoedd o addoliad yn ystod y blynyddoedd cynnar. Weithiau byddai Mam yn mynd â ni i'r gwasanaeth prynhawnol a gynhelid yn Eglwys Ceidio, a bu cyfnod pan fyddai'r ficer, y Parchedig Llewelyn Hughes, yn mynd â ni yn ei gar ar ôl y gwasanaeth i'r Ysgol Sul yn Eglwys y Santes Fair yn y Llan. Ond trefniant digon amrwd oedd hwnnw a doedd gen i fawr o ddim i'w ddweud wrth y drefn Eglwysig. A dweud y gwir, doedd dim gwerth o gwbl yn y darllen a'r trafod carbwl a ddigwyddai yn y dosbarth. Chwerthin a chadw twrw, dyna oedd yr hogiau eraill am ei wneud a doeddwn i ddim yn gweld pwrpas gorfod cerdded milltir yn ôl gartref ar ôl y gwastraffu amser. Ond nid felly roedd Mam yn gweld pethau. Er hynny, yn y pen draw – os cofiaf yn iawn – fe enillais y ddadl, ac nid yn aml y digwyddai hynny.

Yn wir, doeddwn i byth yn dadlau hefo Mam, a doedd dim gwahaniaeth gan 'Nhad beth oedd yn digwydd. Dwi ddim yn credu fod ganddo lawer o ddiddordeb mewn crefydd. Yn sicr, doedd ganddo fawr o barch at bobl y capel. Y nhw oedd y bobl yn ei olwg o oedd yn manteisio ar y tlawd a'r anghenus yn y gymdeithas. Fel arfer, yn ein hardal ni, y ffermwyr oedd y blaenoriaid a'r diaconiaid. Y nhw oedd yn edrych yn sanctaidd a pharchus ar eu gliniau ar y Sul ac ar noson waith. Ond yng ngolwg fy nhad, ffug oedd y cyfan. Lawer gwaith y clywais i o'n dweud, 'Rhagrithiwrs ydi'r diawliaid'. Ac, wrth gwrs, roedd fy nghydymdeimlad i hefo fo. Onid oeddwn i wedi'i weld o'n dod adref ar ei liniau bron ar ôl diwrnod o lafurio i rai o'r parchusion hyn, oedd ddim ond yn rhy barod i fanteisio ar ei gyni a'i dlodi i wasgu'r cyfan allan o'i gorpws gwan. A phan oedd o'n methu mynd ei hun i'r Llan ar nos Sadwrn i un pwrpas yn unig, sef talu'i aelodaeth undebol, roeddwn i'n ei theimlo hi'n fraint i gael mynd â'i ychydig geiniogau a'u trosglwyddo i'r ysgrifennydd undebol. Nid bod ei aelodaeth yn golygu dim – doedd gan yr undeb ddim dylanwad ar y meistri tir lleol. Ond roeddwn i'n falch ei fod o'n cael gwneud ei safiad ac yn cael datgan ei brotest yn erbyn gormes. Gwastraff arian oedd y cyfan yn ôl Mam ac roedd ganddi gyfiawnhad dros ei dadl, ond ar ochr fy nhad yr oeddwn i yn y ddadl honno.

Y fo, yn y dyddiau dreng, a'm gwnaeth yn Sosialydd ac yn gasäwr sarhad y cyfoethogion a'r snobs mewn cymdeithas. O'r diwrnod hwnnw hyd heddiw fe barhaodd y casineb ingol hwnnw. Rwy'n fodlon cyfaddef fy mod i'n aml iawn yn mynd â'm rhagfarnau ynglŷn â phethau o'r fath yn rhy bell ond, yn anffodus, fel hyn y'm gwnaed a does gen i ddim cywilydd chwaith.

Dyna pam, mae'n debyg, nad oes gen i ddim cynhysgaeth grefyddol go iawn, er imi ryw fudr ymhél wedyn â gweithgareddau'r Methodistiaid Calfinaidd yn Llannerchymedd. Ond unwaith eto, rhyw berthynas hap a damwain oedd hi. Ambell sesiwn yn nosbarth Ysgol Sul John Williams (London House), Richard Roberts a'r cyfaill annwyl John Williams (J.W. y bardd). Do, mi fûm i'n cyfrannu rhyw gymaint i ddigwyddiadau'r Gymdeithas Lenyddol. Fe ymunais hefyd â dosbarth derbyn i fod yn gyflawn aelod, ond am imi fethu presenoli fy hun mewn dau gyfarfod fe benderfynodd y gweinidog (nas enwaf) nad oeddwn i gael fy nerbyn yn gyflawn aelod yn ei eglwys o. A dyna 'Nhad yn syth ar gefn ei geffyl. Roedd o wedi clywed bod perthynas i ddiacon arbennig wedi cael ei dderbyn heb fod yn agos i ddosbarth o gwbl. Roedd hynny'n ormod i'r hen Hugh. Fe chwythodd ffiwsan go iawn a chafodd y gweinidog bregeth na chlywodd ei thebyg na chynt na chwedyn, ac ni roddais innau fy nhroed dros riniog drws Capel Jerusalem (M.C.) Llannerchymedd byth wedyn. Fe roddodd fy nhad, yntau, y gorau i wisgo'r unig siwt a fu ganddo i fynd i'r capel ar fore Llun Diolchgarwch am y Cynhaeaf.

Rhwng popeth, cyfnod pur unig a di-gymdeithas fu dyddiau fy mhlentyndod, felly. Dydw i ddim yn credu fy mod i wedi bod yn Llangefni fwy na hanner dwsin o weithiau cyn imi ddechrau mynd i'r Ysgol Ramadeg, ac fe gofiaf yr unig ymweliad â Bangor a gefais yng nghwmni Mam un Nadolig. Bu hen edrych ymlaen at y diwrnod mawr. Roeddan ni'n mynd ar y trên unarddeg o'r Llan, ond â ninnau ar gychwyn fe gododdodd problem enfawr. Roedd y postmon yn hwyr ac roedd Mam yn disgwyl am yr arian dôl – heb y rheiny, fyddai yna ddim trip o gwbl. Ond, diolch byth, fe gyrhaeddodd y llythyr ar y funud olaf a ffwrdd â'r ddau ohonom fel cathod i gythraul a dal y trên pan oedd hi ar fin gadael.

Profiad bythgofiadwy oedd mynd ar drên am y tro cyntaf erioed a gweld gorsafoedd Llangwyllog, Llangefni, Holland Arms, Gaerwen, Llanfairpwll, Porthaethwy a Bangor. Pinacl y cyfan oedd gweld y ddau lew tew a mynd trwy'r tiwb dros Afon Menai; roeddwn i ofn am fy mywyd yn y tywyllwch dudew.

Cyrraedd Bangor, a Mam yn dweud ein bod ni i'w heglu hi i gael cinio yn nhŷ Anti Mary (ei chwaer) oedd yn byw yn Strand Street. Doedd gan Mam ddim syniad ble roedd y stryd honno felly dyma ddechrau cerdded i lawr Stryd Fawr Bangor. Holi hwn a holi llall, a phawb yn dweud: 'Daliwch i fynd, daliwch i fynd!' Wrth gwrs, roedd tŷ Anti Mary mor bell ac oedd bosib o stesion Bangor – roedd, ac mae, Strand Street ar lan y môr yn Hirael.

A dyna'r unig gof sy gen i o'r diwrnod hwnnw, ar

wahân fod mam wedi prynu doli ddu i Betty, fy chwaer, ac anrhegion bychain iawn i bawb arall. Ond diwrnod y trên, y tiwb, y cerdded dibendraw a thŷ crand Anti Mary oedd y diwrnod hwnnw i mi. Ychydig a feddyliais y byddai Dinas Bangor yn dod yn rhan mor bwysig o'm bywyd ymhen blynyddoedd wedyn.

A dweud y gwir, roedd yna gyfnod yn ystod dyddiau plentyndod pan oedd yn gas gen i glywed enwi Bangor. Yn y fan honno roedd y *C and A* – yr ysbyty, wrth gwrs. Ac yno y bu'n rhaid mynd â Mam am wahanol driniaethau. Mi gafodd hi sawl triniaeth yn ystod y blynyddoedd cynnar hynny ac mi clywais i hi'n sôn llawer am bob arhosiad yn y *C and A*.

Wedi'r cwbl, onid oedd yr ymweliadau hynny yn ddigwyddiadau mawr yn ei bywyd? Er ei bod hi mewn gwendid ac afiechyd roedd cael wythnos neu ddwy o ofal a gorffwys yn newid byd iddi. Mi fyddai ganddi atgofion a barhaodd am flynyddoedd o'r nyrsus fu'n gofalu amdani, ac anghofiodd hi byth agwedd anffodus un llawfeddyg a oedd yn gryn ddihiryn yn ei golwg, tra roedd hi'n telynegu am garedigrwydd a thynerwch yr eilun mawr, Dr Leonard Lancaster. Ond roedd yn gas gen i glywed am y lle ac roedd rhyw arswyd yn codi pan fyddai sôn am y posibilrwydd fod rhyw broblemau'n codi ac y byddai'n rhaid iddi fynd yn ôl yno. Roedd Bangor yn hen le nad oeddwn am glywed amdano.

Wn i ddim pa ddylanwad gafodd y degawd cyntaf yna ar weddill fy mywyd i. Y cyfan wn i yw mai creadur y filltir sgwâr go iawn oeddwn i. Roedd fy myw a'm bod yn hynod gyfyngedig – dim radio, dim llawer o lyfrau a dim ond ambell bapur newydd. Y rhyfeddod, o edrych yn ôl, yw fy mod i'n gwbl hapus ar fy myd. Mynd i chwarae ar lan yr afon gerllaw; dipyn o bysgota; hel coed tân; cwmni Bobi yr efaciwi a ddaeth o Lerpwl i aros yn Hafod y Myn; mynd i Bwllgynnau Isaf lle'r oedd Betty yn byw, neu i Geidio at Bob hefo Derwyn, fy mrawd; cael mynd am reid hefo Bob yng nghar a cheffyl y Relwê oedd yn pasio heibio bob hyn a hyn, neu gael reid bach yng nghar llefrith Robert Hughes, Y Fron. Oedd, roedd bywyd yn syml, yn dlawd ond yn llawn. Ac roedd digon o le i'r dychymyg!

Cerdded

Yn unarddeg oed, diolch i ddisgyblaeth, arweiniad a dyfalbarhad O. T. Jones a'i athrawon yn Ysgol Gynradd y Llan, fe ehangwyd fy ngorwelion. Roeddwn ar fy ffordd, yng nghwmni nifer o gyfoedion, i Ysgol Ramadeg Llangefni.

Roedd hynny'n golygu codi'n gynnar, gan fod y bws yn gadael y Llan am ddeng munud wedi wyth. Roedd hefyd yn golygu bod yn rhaid i'm rhieni ganfod arian ychwanegol am wisg ysgol, costau teithio a mân bethau ar gyfer gwaith yn y dosbarth. Roedd gan y disgyblion eraill fagiau lledr newydd i gario'u llyfrau. Fe gafodd Mam afael ar fag ail-law i mi a hwnnw fu gen i drwy'r ysgol – roedd y creadur yn dyllau i gyd erbyn y diwedd. Chefais i erioed *fountain pen, geometry set* a *chemistry set* a phetha felly. Dwi'n meddwl 'mod i wedi cael rhyw fath o *biro* pan gyrhaeddais y chweched dosbarth. Pin ac inc ac ambell nib newydd – dyna fu f'arfogaeth academaidd i.

Ysgol ryfedd oedd Ysgol Llangefni yn ystod y rhyfel. Roedd yna gymysgedd o athrawon yno pan gyrhaeddais i. Criw o bobl yn llenwi bylchau, mae'n debyg, tra roedd y dynion oedd ar y staff yn y lluoedd arfog. O anghenraid, felly, roedd yno nifer o ferched yn ceisio stwffio dysg i'n pennau ni – a does dim dwywaith chwaith nad oedd yna amryw yn eu plith nhw na ellid eu cyfri ymhlith addysgwyr disgleiriaf y cyfnod. A dweud y gwir, mae yna amryw o'r rheiny y bûm i'n ymbalfalu yn eu cwmni yn ystod y tair blynedd cyntaf yn Ysgol Llangefni bellach wedi mynd yn angof.

O gofio fy nghefndir mae'n rhyfeddol fy mod i wedi gallu setlo i lawr i'r drefn newydd yn weddol ddidrafferth – roedd yr adroddiad cyntaf a gefais ar ôl arholiad y Nadolig yn profi hynny. Roeddwn wedi cael canlyniadau gwyrthiol a'r prifathro annwyl, Edgar Thomas, wedi mentro sgwennu'r frawddeg sydd wedi aros ar fy nghof hyd heddiw, '*Has made a good start and promises well.*' Mi fûm i'n cael cysur o'r frawddeg yna am fisoedd ac yn fy llwyr gamarwain fy hun. Nid yn aml yr oedd Mr Thomas yn anghywir ond, yn sicr, fe gymerodd gam gwag pan ysgrifennodd y frawddeg yna.

Rhyw lusgo trwy'r pynciau academaidd wnes i. Roedd hi'n weddol amlwg o'r cychwyn cynta nad oedd gobaith gan athrawon ardderchog fel Iris Roberts (Jones Henry wedyn), Walter Hughes a G. M. Jones i wneud gwyddonydd ohonof. A phan ddaeth George Fisher yn ôl o'r Llynges fe ganfu yntau nad oedd ganddo fathemategydd yn ei ddosbarth, a doedd ganddo ddim owns o amynedd hefo fi.

Ar y llaw arall, roedd pethau'n well mewn pynciau fel Hanes, Daearyddiaeth, Ysgrythur, Ffrangeg, Saesneg a Chymraeg. Efallai fod a wnelo hynny rywbeth â'r ffaith fod yr athrawon yn gallu denu fy sylw.

Ac roedd rhai o'r rheiny'n feistri. Pobl fel John Young, y perffeithydd o athro Daearyddiaeth – athro cydwybodol, trefnus, twt a oedd yn hawlio'r un ymateb gan y disgyblion – a'r academydd tawel, caredig, nerfus ac apelgar, Albert Kyffin Morris.

Yna'r athro Cymraeg rhyfeddaf a gafodd neb erioed, John Pierce. Pregethwr, nofelydd, breuddwydiwr oedd o – popeth ond rhywun a ddylai fod yn dysgu plant. Ac erbyn cyrraedd y chweched dosbarth, roedd hi'n gwdbei am gwblhau'r gwaith. Yn hytrach na symleiddio'r 'Pedair Cainc', fe lwyddodd yr hen John i'w troi'n fwy astrus i nifer fawr ohonom. Rwy'n credu fod y prifathro wedi deall hynny ac wedi penderfynu y byddai o'i hun yn ceisio'n goleuo yn y pwnc – ac roedd y profiad o fod wrth ei draed yn trafod Williams Parry, Parry-Williams, W. J. Gruffydd ac eraill yn wefreiddiol. Ond rhaid imi beidio ac anghofio mai dylanwad John Pierce a gafodd yr effaith gychwynnol fwyaf arna i.

Sgwennu rhyw fath o ysgrif a wnes i a hynny yn y blynyddoedd cynnar, a, rhyfeddod y rhyfeddodau, fe benderfynodd John y byddai'n ei darllen ac yn ei marcio. Roedd hynny ynddo'i hun yn ddigwyddiad hanesyddol – doedd o ddim yn credu llawer mewn trafferthu hefo pethau felly. Roedd ganddo bethau pwysicach i'w gwneud, fel cwblhau'i nofel ddiweddaraf. Ond fe roddodd fy llyfr yn ôl i mi a gofyn imi aros ar ôl ar ddiwedd y wers. Fe gefais ganmoliaeth ganddo ac awgrymodd y dylwn fynd ati i sgwennu mwy o bethau tebyg. 'Beth am ichi gystadlu mewn eisteddfoda,' medda fo, 'i weld sut yr aiff petha?' Fe ddechreuodd dod â thestunau gwahanol eisteddfodau i mi a byddwn innau'n rhoi pin ar bapur ac yn anfon ysgrifau a straeon, brawddegau a phethau felly. A wir i chi, mi fyddai yna wobrau bach yn dod yn ôl o leoedd ar hyd a lled Cymru nad oedd gen i'r syniad lleia ble'r oeddan nhw. A dyna falch oeddwn i pan allwn i roi'r *postal orders* bach o ychydig sylltau i Mam.

Mi fûm i wrthi felly am rai blynyddoedd, ac yn y cyfnod hwnnw y dois i i adnabod y bardd gwlad, John Williams, neu J.W. Cadw ffyrdd yr ardal yn dwt i Gyngor Sir Môn oedd gwaith J.W., a phan fyddai wrth ei waith ar y ffordd tuag at Glan Rhyd mi fyddwn i'n cael oriau yn ei gwmni. Cerdd dant a barddoni, dyna oedd ei fyd, a chyn diwedd ei oes fe gyhoeddwyd cyfrol o'i waith a chafodd ei anrhydeddu gan Orsedd y Beirdd. Mi fyddai wrth ei fodd yn trafod ei delyneg ddiweddaraf ar gyfer rhyw steddfod neu'i gilydd, neu'n sôn am osodiad Cerdd Dant newydd y byddai o a'i wraig, Telynores y Foel, wedi'i gwblhau.

Mi gefais i'r pleser o fynd yng nghwmni'r ddau a pharti o blant a phobl ifanc y Llan i gynnal nosweithiau o adloniant ar hyd a lled Sir Fôn. Fe fu'r gantores Aloma a'i mam yn aelodau o'r parti bach hwnnw yn eu tro – yn wir, fe gafodd cenedlaethau o blant yr ardal y fraint, fel finnau, o ddod o dan ddylanwad John a Kitty Williams.

Nhw, a dweud y gwir, a'm perswadiodd i y dylwn i ymuno â Gorsedd Beirdd Ynys Môn, ac fe gefais y fraint o gael fy nerbyn i'r Cylch Cyfrin mewn seremoni gyhoeddi ym Mrynsiencyn pan oeddwn tua phymtheg oed.

Roedd hwnnw'n brofiad nas anghofiaf byth. Cael fy nerbyn gan y dyn yr oeddwn wedi bod ei ofn o erioed, y Derwydd Gweinyddol rhyfeddol, Llew Llwydiarth – cawr o ddyn oedd yn *edrych* fel bardd. A dweud y gwir, o safbwynt barddoniaeth go iawn, dim ond y ddelwedd gorfforol oedd gan y Llew. Go brin y gallai neb ddadlau fod y wir awen yn galw heibio iddo'n rhy aml. Ond, fel llawer o Gymry Cymraeg mewn gwahanol feysydd, roedd Llew wedi gallu creu'r ddelwedd ei fod o'n glamp o brydydd ac yn chwip o Dderwydd Gweinyddol. Roedd o'n gweinyddu'r Orsedd fel unben ac mae'r straeon amdano'n ddiddiwedd. Mae'r gyfrol ardderchog o dan olygyddiaeth William Owen, Borthygest yn cyflwyno darlun cywir iawn o'r hen frawd mewn amrywiol feysydd – fel pregethwr cynorthwyol, cynghorydd, beirniad adrodd ac, wrth gwrs, pen bandit Gorsedd Beirdd Ynys Môn.

Ac i bresenoldeb dwyfol y Llew y cerddais i'r pnawn chwilboeth hwnnw ym Mrynsiencyn. Roedd fy nghoesau'n crynu fel jeli pan gerddwn tua'r Maen Llog. Fe'm cyflwynwyd i'r Bos, a dyma fo'n fy nharo ar dop fy mhen gyda'i law fawr chwyslyd a gweiddi'r geiriau, 'Beth fydd y bachgen hwn?' a dim gair rhagor – dim ond fy ngadael fel adyn ar gyfeiliorn ynghanol y cylch. Fe fu gen i gur yn fy mhen am ddyddiau lawer. Mae'n gywilydd imi orfod cyfaddef mai dim ond rhyw deirgwaith wedyn y mentrais i i mewn i Gylch Gorsedd Môn, ac fe wnawn fy ngorau glas i gadw o ffordd Llew Llwydiarth am flynyddoedd. Mae eisiau rhywun dewr ofnadwy i dynnu blewyn o drwyn llew o bob math.

Mi fu'n rhaid i mi aros am dros chwarter canrif cyn cael gwahoddiad i ymuno â Gorsedd Beirdd Ynys Prydain ac mae'n dda gen i ddweud na chefais i ergyd ar dop fy mhen gan y diweddar Archdderwydd Dafydd Rowlands y bore hwnnw yn y Bala yn 1997.

Ond i fynd yn ôl i Ysgol Llangefni. Erbyn 1946, roedd yr athrawon a fu'n gwasanaethu eu gwlad yn dod yn ôl at eu gwaith – Bill Jones Henry i ofalu am waith coed a metel, y Bonwr Cameron i ofalu am Ladin a Groeg, a'r cawr brwdfrydig hwnnw, George Fisher, i geisio'n goleuo ar fathemateg – ac fe gafodd dau ohonyn nhw ddylanwad mawr ar fy mywyd i.

Fe lwyddodd Cameron i ladd yr ychydig ddiddordeb oedd gen i yn yr iaith gythreulig honno a elwir Lladin. Roeddwn i mewn ofn parhaol o'r dyn milain a chwbl ddideimlad oedd yn delio hefo'i ddisgyblion yn union fel yr arferai ddelio hefo'r *commandos* yn y rhyfel. Ond mae gen i le i ddiolch iddo hefyd. Roedd yn gas gen i chwaraeon yn enwedig pêl-droed, a hyd nes iddo fo gyrraedd roeddwn i wedi llwyddo i beidio cyfrannu i unrhyw agwedd ar y gêm honno a chymryd orig i ddiogi yn ystod y wers chwaraeon. Ond 'Howld on,' meddai'r gwron Cameron, 'mae'r diogi ar ben. Cymer y chwiban 'ma boi bach. Dyma'r llyfr rheolau – fe gei di ddysgu dyfarnu.' A dyna sut y dechreuais i gymryd diddordeb mewn bod yn reffarî pêl-droed – diddordeb a barhaodd am dros un mlynedd ar bymtheg ac a fu'n gyfrwng i mi gael profiadau diddorol a chylch o gydnabod newydd ar hyd a lled Cymru. Fe gaf i gyfle i sôn am hynny mewn mwy o fanylder mewn pennod arall.

Ond rhaid troi rŵan at un arall o'r dychweledigion o'r rhyfel a George Fisher oedd hwnnw. Clamp o ddyn byrbwyll, tymherus. Hwntw go iawn o'r cymoedd, oedd wedi mynd ati i ddysgu'r iaith Gymraeg. Mathemateg, fel y deudis i, oedd ei bwnc ond y ddrama a'r theatr oedd ei fyd o. Roedd ganddo dân yn ei fol ac roedd ganddo'r gallu i danio brwdfrydedd a chwilfrydedd rhai fel fi. Roedd o ar yr un donfedd wleidyddol a chenedlaethol â dau o'r athrawon eraill, sef John Pierce a Fred Pritchard Jones, a phetai'n rhaid i mi gyfaddef, y nhw'u tri oedd y dylanwad mwyaf arna i yn Ysgol Llangefni ar lefel ffurfio barn ac agwedd. Ond George Fisher yn fwy na neb a'm hysbrydolodd i droi i gyfeiriad y ddrama ac actio ac, yn ei dro, i gael blas ar y busnes darlledu.

Un o'r pethau cyntaf wnaeth o ar ôl dod yn ôl i'r ysgol o'r Llynges (ar wahân i geisio stwffio Mathemateg i bennau dwsinau o ddisgyblion anobeithiol fel fi) oedd penderfynu ei fod o am gynhyrchu drama'n flynyddol. Ac fe gefais i gyfle i ymddangos yn ei fenter gyntaf. Ac nid unrhyw fath o ddrama yr ymaflodd â hi – na, doedd dim amdani ond mynd am waith Saunders Lewis ei hun. Felly *Amlyn ac Amig* oedd y cynhyrchiad cyntaf, gyda John Llewelyn Williams, bachgen o Langristiolus a J. O. Roberts o Langwyllog yn y prif rannau, a Mair Hughes o Lannerchymedd (cyfnither i mi) hefyd yn un o'r sêr. A do, mi gefais innau ran fechan hefyd, ac mi fwynheais y profiad yn fawr. Roedd George Fisher wedi agor drws newydd sbon.

Ar yr un pryd bron roeddwn i wedi dechrau mynd i'r Aelwyd yn Llannerchymedd, ac yno roedd Alwena Jones, athrawes ifanc o'r pentref, wedi casglu criw ohonom at ein gilydd i berfformio dramâu un act ar gyfer Gŵyl Ddrama Môn, a chawsom gryn hwyl arni.

Rhwng Te a Swper oedd y gyntaf dwi'n gofio inni'i pherfformio hefo'r Aelwyd, a Betty Prytherch, Pwll-gynnau yn y brif ran. Roedd hynny'n gysur mawr i mi gan y golygai fy mod yn cael ei chwmni ar y ffordd gartre. Roeddwn i ofn fy nghysgod ond roedd Betty fel angel gwarcheidiol – doedd petha fel bwganod yn neidio o'r coed yn poeni dim arni. Mi fyddwn i'n rhedeg fel milgi am y chwarter milltir oedd ar ôl wedi iddi hi droi am adre. Ond, er cymaint yr ofn, mi euthum yn ôl i'r cwmni y gaeaf dilynol, a'r tro yma *Y Practis* gan Leyshon Williams oedd dewis Alwena Jones ar ein cyfer.

Roeddwn i wrth fy modd – roedd y prif ran wedi'i gynnig i mi. Ac, fel y digwyddodd pethau, fe gawsom ni dipyn o lwyddiant – dod â'r wobr gyntaf hefo ni o'r Ŵyl Sirol, a hynny o dan feirniadaeth Cynan, o bawb. Roedd Alwena Jones wedi gweithio'n hynod o galed gydag ychydig iawn o adnoddau ac yn haeddu cael llwyddiant. Yna'r flwyddyn wedyn roedd fy nghwpan i'n llawn – fe ofynnodd George Fisher (neu, yn hytrach, fe orchmynnodd George Fisher) imi gymryd rhan Brutus yng nghynhyrchiad yr ysgol o *Julius Caesar,* a'm cyfaill, J. O. Roberts, oedd yn chwarae Cassius.

Roedd yna glamp o gast, a phob un ohonyn nhw'n Gymry Cymraeg o ganol Ynys Môn a'r mwyafrif heb drafod gair o waith Shakespeare o'r blaen. Ond doedd yr hen Fisher ddim yn gweld hynny'n broblem. 'Ymlaen â'r cart' – dyna oedd ei arwyddair. Doedd yr un broblem wedi'i chreu na chredai George y gellid ei goresgyn.

Fe fu rihyrsio dibendraw, yn ystod oriau ysgol ac am oriau ar ôl yr ysgol. Byddai J.O. a minnau'n mynd i'w gartref i gael te, cyn cael dwyawr o fynd trwy wahanol olygfeydd. Fe gawsom ein dau sesiwn unwaith yng nghwmni un o gyn-ddisgyblion disglair yr ysgol, yr actor Huw Griffith o Farianglas. Am bnawn cyfan bu John O. a minnau yn cael ei trwytho ganddo yn yr olygfa bwysig yn y babell yn Philipi. Ond yr hyn oedd yn rhyfeddol oedd fod dull Huw Griffith yn gwbl wahanol i un

George. Yr actor am inni drafod yn dawel emosiynol, tra roedd George Fisher am inni weiddi'r geiriau. Ar y noson roedd hi'n arwyddocaol fod gan y cynhyrchiad ddau gyfarwyddwr pur wahanol i'w gilydd. Wn i ddim a fu i'r gynulleidfa yn Neuadd y Dref Llangefni sylwi ar hynny ai peidio. O'm rhan fy hun, roedd y profiad yn un arbennig iawn.

Yn dilyn hynny, cefais wahoddiad gan y BBC ym Mangor, drwy'r ysgol, i fynd am wrandawiad – *audition* – ym Mryn Meirion, ac o fewn ychydig wythnosau, ym mis Mai 1946, fe gyrhaeddodd llythyr a sgript rhaglen o Adran Ysgolion y Gorfforaeth. Roeddwn wedi cael cynnig rhan mewn rhaglen radio am y tro cyntaf erioed, a hynny mewn rhaglen oedd i'w recordio ar bnawn Sadwrn y mis hwnnw.

Dyma gyrraedd am y rihyrsal am ddeg o'r gloch y bore, rihyrsio tan amser cinio, awr am fwyd ac yna'n ôl am fwy o rihyrsal. Chwe awr i gyd, cyn recordio am bedwar o'r gloch.

Rydw i'n cofio'r rheiny a oedd yn cymryd rhan yn iawn: Dic Hughes o Benmaen-mawr; y Parchedig Ifan O. Williams; y Parchedig Emrys Cleaver, Bodffari; Idris Gruffydd o Fethesda a'r Parchedig Bryn Williams. Bu pob un ohonynt yn garedig iawn wrth y bachgen ysgol cwbl ddibrofiad oedd yn eu plith ac roedd y cynhyrchydd bonheddig, gofalus, a pherffeithydd wrth ei waith, Elwyn Thomas, yn amyneddgar iawn gyda'r newyddian o Lannerchymedd. Y diwrnod hwnnw fe agorwyd drws newydd imi ac roeddwn i wedi llwyr feddwi ar y digwyddiad, heb lawn ystyried mai dim ond darllediad i blant ysgol oedd yr ymarferiad wedi'r cyfan.

Dros y pedair blynedd a ddilynodd fe gefais amrywiol gyfleon i ddarlledu gan Elwyn Thomas mewn rhaglenni eraill a ddeuai o stiwdios Bangor. Pinacl y cyfan oedd cael gwahoddiad i ymddangos mewn cynhyrchiad gan P. H. Burton, un o bobl bwysig Caerdydd a'r gŵr a gymerodd Richard Burton o dan ei ambarel. Rydw i'n meddwl mai un o gyn-ddisgyblion disglair Ysgol Ramadeg Llangefni – Mrs Myfanwy Howell – a awgrymodd y dylwn i gael gwrandawiad, ac fe fûm yn ddigon lwcus i gael cynnig rhan y 'pupil teacher'. Roedd Burton yn gynhyrchydd trwyadl a threuliodd oriau'n perffeithio golygfeydd yr ysgol gyda mi a Ieuan Rhys Williams yng nghwmni plant Ysgol Cae Top, Bangor, oedd hefyd yn cymryd rhan yn y rhaglen.

Roedd hon – *Wil Six,* o waith Huw K. Evans – yn rhaglen arbennig i'w darlledu ar donfedd arbennig, sef y 'Third Programme'. Prysor Williams oedd y prif actor yn y darllediad cyntaf a chymaint oedd y llwyddiant fel y bu galw am gynhyrchiad newydd, hirach ymhen rhai misoedd ac, erbyn hynny, Meredith Edwards oedd y seren. Erbyn hyn, roeddwn innau wedi mynd i gredu mai fel actor radio yr oedd fy nyfodol i.

Does dim dwywaith nad oedd hynny wedi cael rhyw gymaint o ddylanwad drwg ar fy ngwaith ysgol. Roeddwn wedi fy nghamarwain fy hun i gredu fod yna ffyrdd eraill o gael y maen i'r wal yn hytrach na gweithio'n galed yn y dosbarth a chwblhau'r gwaith cartref.

Roedd gwneud y gwaith cartref yn dipyn o broblem i mi, fel roedd pwysau arholiadau'r Senior a'r Higher (fel roeddan nhw bryd hynny) yn agosáu. Doedd pethau ddim yn hawdd. Doedd gen i mo'r adnoddau, o'm cymharu â rhai o'm cyd-ddisgyblion. Tasg anodd oedd mynd ati i weithio yn yr un ystafell â phump arall o aelodau'r teulu oedd am fyw eu bywyd naturiol eu hunain. Roedd gan bob un ohonyn nhw, yn dad a mam, dau frawd a chwaer, eu hawliau eu hunain i wneud fel y mynnent o dan y lamp baraffin oedd yn hongian o'r to ac yng ngolau'r tân oedd un pen i'r ystafell. Doedd dim posib iddyn nhw ddeall fod y creadur oedd yn sgriblo'n ddibaid yn y gornel bellaf ar gongl 'y bwrdd mawr', fel y'i gelwid o, angen tawelwch i gasglu a sgwennu.

Y dewis arall oedd gen i oedd mynd hefo dwy gannwyll i'r siambar – ond mae hi'n anodd gweithio mewn côt fawr yn oerfel y gaeaf. Tasg amhosib bron oedd paratoi mapiau a graffiau ar gyfer ymarferion daear-yddiaeth John Young, oedd yn hawlio gwaith destlus a thwt yn unol â'r safonau uchaf oedd ganddo fo. Na, doedd gweithio adref ddim yn fwyniant o gwbl, ond falle hefyd fy mod i'n rhy barod i chwilio am esgusodion.

Ond, rywsut, roeddwn i'n llwyddo i ddal ati a phan ddaeth arholiadau'r Senior fe wnes yn eithaf da. Roeddwn i'n teimlo'n dipyn o foi mai fi oedd yr unig un o'r pentref a aeth i Langefni yn unarddeg oed oedd yn mynd yn ôl i'r ysgol ar gyfer y chweched dosbarth. Wrth gwrs, roedd Mam yn arbennig wrth ei bodd, er na ddeudodd hi ddim erioed yn fy nghlyw i. Wn i ddim a ydw i'n gywir ai peidio, ond roeddwn i'n teimlo ei bod hi'n credu y gallwn i wireddu'r uchelgais oedd yn eiddo iddi hi. Lawer gwaith y clywais i hi'n awgrymu y gallai'i bywyd fod wedi bod yn wahanol iawn petai hi wedi cael y cyfle i fanteisio'n addysgol ar y gallu oedd yn amlwg ganddi. A dyna, efallai, pam y bûm i'n gymaint o siom iddi yn y blynyddoedd oedd i ddod, er na ddeudodd hi ddim am hynny chwaith.

Wedi cyrraedd y chweched dosbarth fe ledais innau f'adenydd. Roeddwn yn ymdaflu i wahanol weithgareddau gydag afiaith – y dyfarnu pêl-droed, y gwaith radio achlysurol, a'r actio yn nramâu'r ysgol a'r Aelwyd. Ac ymhlith gweithgareddau eraill dyma ffurfio Cymdeithas Gymraeg yn yr ysgol a chael caniatâd gan y prifathro i gynnal cyfarfodydd bob nos Iau ar ôl oriau'r ysgol. Byddai gwesteion yn dod i ddarlithio a byddai ambell ddadl neu drafodaeth, a'r cyfan yn digwydd yn yr iaith Gymraeg. Dyna oedd fy mwriad – dathlu Cymreictod criw o gyd-ddisgyblion.

O dipyn i beth fe gefais fy hun yn troi'n anifail gwleidyddol pleidiol. A choeliwch neu beidio, roeddwn yn datblygu i fod yn genedlaetholwr Cymreig go iawn a hynny mewn cyfnod pan oedd y 'Blaid Bach' yn gwbl wrthun yn Ynys Môn. O dipyn i beth fe ymaelodais â Phlaid Cymru ac roeddwn ymhlith y criw bach a sefydlodd gangen o'r Blaid yn Llangefni yn niwedd y pedwardegau. Cofiaf ryw hanner dwsin ohonom yn cyfarfod yn Festri Capel Smyrna ar Ffordd Glanhwfa, a'r arweinwyr oedd yr annwyl Ifan Gruffydd, y Gŵr o Baradwys, ac Evan Williams a oedd yn un o weision Cyngor Sir yr Ynys ar y pryd. Roedd yna dân ym moliau pob un ohonom ond prin iawn, o anghenraid, oedd ein gweithredoedd a'n dylanwad. I fod yn gwbl onest, roedd fy naïfrwydd gwleidyddol i'n chwerthinllyd.

Mae gen i syniad fod fy nhueddiadau gwleidyddol wedi dod i sylw rhai athrawon yn yr ysgol, ac roedd ambell un ohonynt yn barod iawn i fwrw'u sen ar fy naliadau. Efallai fy mod innau wedi ymateb yn ormodol. Canlyniad y gwrthryfela ar fy rhan, mae'n debyg, oedd imi benderfynu ei bod hi'n bryd dangos fy nannedd fel arweinydd protest. A dyma sut y bu hi.

Roedd yna gwyno ymhlith llawer o'r bechgyn fod safon cinio'r ysgol wedi dirywio a'i bod hi'n bryd cwyno. Felly, un awr ginio dydd Gwener, dyma alw cyfarfod o holl fechgyn yr ysgol a'u herio i droi i fyny y dydd Llun canlynol wedi'u harfogi â brechdanau a diod. Doedd neb i fynychu ffreutur yr ysgol a doedd neb i yngan gair am y cynllun. Byddai cinio wedi'i baratoi fel arfer ond fyddai yna 'run bachgen yn ymddangos i'w fwyta. Fe ddaeth dydd Llun, ac roeddwn innau ar bigau'r drain yn ystod y bore. Doedd dim argoel fod y gyfrinach wedi'i thorri gan neb. Ond sut byddai hi pan ddeuai'r awr fawr? Doedd dim raid poeni; fe safodd pawb yn unol ddiddidol. Roedd degau o brydau bwyd wedi'u gwastraffu ac roeddwn innau'n ddigon twp i deimlo a chredu fy mod wedi cael buddugoliaeth fawr.

Ond, buddugoliaeth neu beidio, nid felna roedd y prifathro a'r athrawon yn edrych ar y digwyddiad. Yn ffodus iddyn nhw fe lwyddwyd i gadw'r digwyddiad o fewn ffiniau'r ysgol. Fu dim sôn am y streic yn y papurau lleol a doedd yna ddim gwasanaeth newyddion lleol ar y radio, ac wrth gwrs, doedd dim teledu. Ond roedd yna gebyst o storm yn yr ysgol. Roedd pob athro wedi troi'n dditectif – roedd yn rhaid canfod pwy oedd symbylydd y brotest hon.

Y cam cyntaf oedd diswyddo pob un o'r *prefects* oedd wedi cymryd rhan, a minnau yn eu plith. Galwyd pob un ohonom yn ei dro o flaen yr ysgol a'n gorfodi i gyflwyno'r bathodyn i law'r prifathro. Edrychai yntau i fyw ein llygaid i geisio canfod euogrwydd ond ddaru neb blygu.

Fe'n heriodd o flaen yr ysgol eto. 'Pwy oedd yr arweinydd?' gofynnodd, a mentrodd un Peter Woodhouse Jones ei ateb, *'I assure you sir, there was no individual leader – we all take responsibility for what happened.'* Roedd hi'n amlwg i bawb na fyddai neb yn plygu, a chwarae teg i Edgar Thomas fe benderfynodd beidio mynd â'r mater ymhellach. Roedd y dyn yn ddigon doeth i dderbyn ei fod wedi colli'r ddadl. Ond chafodd yr un ohonom ei swydd yn ôl ac roedd llawer o'r athrawon yn rhoi'r argraff i mi eu bod yn gwybod y gwirionedd. Fwy nag unwaith fe ges i wên gan George Fisher a John Pierce oedd yn awgrymu 'mod i wedi bod yn ddiawl bach lwcus o gael teyrngarwch cenhedlaeth gyfan o fechgyn Ysgol Ramadeg Llangefni. Fe allwn i fod wedi dymuno am yr un teyrngarwch gan gyfeillion a chyd-weithwyr yn nes ymlaen yn ystod fy mywyd ond, fel y gwelir, nid felly y bu hi.

Roeddwn i'n hynod o lwcus yn ystod dyddiau chweched dosbarth, gyda chriw diddorol o gyd-ddisgyblion. Yn eu plith roedd John Henry Jones o Foelfre, Harri Pritchard Jones, Wil Huw Pritchard, Edwin Roberts a J. O. Roberts (a fu'n gyfaill drwy ddyddiau ysgol).

Fe ymunodd un arall â ni hefyd. Daeth bachgen ifanc, hynod ddisglair a deallus, atom o Ysgol Amlwch a byddem yn cyd-deithio ar y trên i'r ysgol bob dydd. Dyna pryd y dois i i adnabod Bedwyr Lewis Jones a dechrau synnu at ei allu, ei weithgarwch a'i frwdfrydedd – brwdfrydedd oedd i'w ganfod nid yn unig yn yr ystafell ddosbarth ond a oedd hefyd yn heintus pan oedd o ar y cae pêl-droed. Dyddiau dedwydd iawn oedd y dyddiau hynny. Roeddem yn gymdeithas glos.

Roedd yna fynd ar bêl-droed yn yr ysgol a mawr fyddai'r hwyl ar y boreau Sadwrn y croesawem ysgolion eraill i Langefni, neu deithio'n hunain i geisio trechu'r gwrthwynebwyr a llwyddo'n amlach na pheidio. Dim ond hogiau Ysgol Friars, Bangor, oedd yn rhoi crasfa inni ar bob achlysur, yn enwedig ar eu tomen eu hunain pan fyddai'r prifathro enwog, Ifor Williams, yn dod allan i roi sbardun eiriol i hogiau Bangor. Wrth gwrs, mi fyddwn innau'n cael cyfle weithiau i ddyfarnu mewn ambell gêm ac yn teimlo'n dipyn o foi.

Dyma'r cyfnod hefyd lle bûm yn ddigon lwcus i ennill cadair Eisteddfod yr Ysgol am gael y marciau uchaf yn holl gystadlaethau llenyddol yr Eisteddfod – a diwrnod mawr i mi oedd hwnnw yn Neuadd y Dref, Llangefni.

Fe fu'r cyfnod yn Ysgol Llangefni yn un cofiadwy iawn, ond eto hynod o gyfyng oedd fy myd. Dim ond unwaith erioed yr oeddwn wedi treulio noson yn cysgu oddi cartref. Fe fûm i ar daith Basg i Baris am ychydig ddyddiau efo grŵp o'r ysgol. Dydw i ddim yn sicr pam na sut y daeth y daith honno i fod, a does gen i ddim atgofion hapus am y profiad chwaith. Roeddwn i'n aros efo teulu o'r ddinas, pobl o'r dosbarth uchaf posib, dybiwn i, ac yn byw mewn palas o fflat fawr foethus, cwbl wahanol i Glan Rhyd gyda'i siambar a'i groglofft. Doeddan nhw'n siarad fawr o Saesneg a doedd gen innau fawr o Ffrangeg. Doedd y bwyd ddim byd tebyg i fwyd

Mam yn Sir Fôn ac, a bod yn gwbl onest, roeddwn i'n gweddïo am weld diwedd yr ymweliad o'r funud gyntaf y cyrhaeddais y lle. Dim ond un profiad cofiadwy gefais i, sef cyfle i weld y fflim *Hamlet* gyda Laurence Olivier, a hynny yn un o sinemâu mwyaf prifddinas Ffrainc yn 1949. Fûm i byth ym Mharis wedyn a does gen i ddim awydd mynd yn ôl. Un waith am byth oedd ddigon. Ac roedd cyrraedd fy ngwely yn y groglofft yn Glan Rhyd yn fendigedig.

Felly, ar fin cychwyn gyrfa coleg, rhyw greadur bach digon dibrofiad a digefndir oeddwn i. Oherwydd tlodi ac amgylchiadau teuluol doeddwn i ddim wedi cael llawer o gyfleon i ehangu fy ngorwelion. Doedd gen i ddim cysylltiadau. Doedd neb yn adnabod fy rhieni. Doeddwn i ddim wedi cael fy nerbyn fel rhywun oedd yn 'rhywun' ac roeddwn i'n ymwybodol iawn o hynny. Roeddwn i'n greadur hynod o ansicr pan ddaeth hi'n amser gadael cartref a throi am y Brifysgol ym Mangor. Roedd pob math o broblemau ynghlwm wrth y penderfyniad a ddylwn i fentro i'r cyfeiriad hwnnw ai peidio.

Y cwestiwn cyntaf, wrth gwrs, oedd cynhaliaeth. Yn sicr, fyddai fy rhieni ddim yn gallu fy nghynnal, a'r unig beth oedd ar gael yn y cyfnod hwnnw oedd yr hyn a elwid yn *Teachers' Training Grant*. Roedd y Weinyddiaeth Addysg yn fodlon talu costau dysgu a chostau cynnal, ar yr amod fod myfyrwyr yn addo y bydden nhw'n mynd i ddysgu ar derfyn eu cwrs gradd. Ar ôl cryn drafod fe benderfynwyd y dylwn fentro – er bod y grant yn fychan iawn o gofio y byddai'n rhaid imi ganfod llety ym Mangor.

Rwy'n gwybod fod Mam wedi poeni llawer am yr ochr

ariannol i'r fenter ac roedd hi'n bur ansicr o ddoethineb cymryd y fath gam. Roedd y posibilrwydd y gallem fynd i ddyled yn boen enaid iddi hi. Ond meddwn innau: 'Mi fydda i'n cael peth arian ychwanegol am waith darlledu, yn ogystal ag ychydig sylltau yr wythnos am ddyfarnu gemau pêl-droed.'

Roedd un broblem arall ynghlwm wrth y grant – unwaith y byddai myfyriwr yn methu arholiadau ac felly'n methu mynd ymlaen â'i gwrs, yna byddai'r ffynnon ariannol yn sychu'n syth bin. Ac o anghenrhaid wedyn, wrth gwrs, mi fyddwn innau a'm tebyg allan ar y clwt.

Yn ychwanegol at hynny, roedd yna un broblem fwy. Bryd hynny roedd hi'n orfodol ar bob bachgen deunaw oed i'w gynnig ei hun ar gyfer gwasanaeth dwy flynedd yn y Lluoedd Arfog. Roedd yna ddewis, sef gwneud y gwasanaeth cyn mynd ymlaen i goleg neu gael caniatâd i gwblhau'r cwrs coleg yn gyntaf ac yna mynd i'r lluoedd am ddwy flynedd cyn dechrau gweithio. Tuedd myfyrwyr prifysgol oedd mynd i'r coleg yn gyntaf a dyna benderfynais innau.

Doeddwn i ddim wedi trafod llawer ar y busnes milwrol yma hefo Mam. Doeddwn i ddim am achosi mwy o bryder iddi. Roedd briw colli'i brawd yn dal gyda hi, ac er bod y rhyfel wedi dod i ben ers pum neu chwe blynedd byddai meddwl fy mod i ar fy ffordd i lifrai'r frenhines wedi bod yn loes ychwanegol iddi mewn cyfnod o bryder mawr beth bynnag. Yn yr hinsawdd yna, felly, y trois i fy wyneb tuag at ddinas Bangor.

Llithro

Os bu esiampl o ddiniweityn go iawn yn mentro i fyd newydd sbon, y fi oedd hwnnw ar y noson gyntaf pan gyrhaeddais Fangor Uchaf. Y noson honno, wrth ddod oddi ar y bws o Langefni, fe gofiais am stori Charles Williams ryw flwyddyn neu ddwy ynghynt. Roedd o a minnau wedi dod oddi ar y bws yn yr un lle ac ar ein ffordd i'r BBC ym Mryn Meirion. Wrth inni basio'r Coleg dyma Charles yn dweud yn ei ffordd ddihafal ei hun:

'Fama y byddi di ryw ddiwrnod cyn bo hir.'

''Dach chi'n meddwl, Charles?' medda finnau, yn llawn hyder o glywed am y fath bosibilrwydd.

'Ie, duwcs,' oedd yr ateb, 'yma byddi di, yn siŵr i ti, yn glanhau'r ffenestri neu'n sgubo'r lloriau neu rywbeth tebyg.'

Oedd, roedd Charles yn gwybod yn union sut i roi pin yn swigan y gor-hyderus.

A'r noson gyntaf honno fe ddaeth yna deimladau cymysg i minnau wrth gerdded i lawr Ffordd y Coleg yn chwilio am 'Norwood', rhif 39, lle'r oedd Miss Mary Jones yn disgwyl amdanaf i a hanner dwsin o rai eraill. Cyn imi setlo i lawr y noson honno fe glywais ganddi fod gan fy nghartref newydd am y tair blynedd nesaf ei gân ei hun, ac fe'i canodd imi i'm gwneud yn gartrefol! Mae'n amlwg ei bod wedi cael cryn argraff arnaf – rydw i'n dal i'w chofio, hanner can mlynedd a mwy yn ddiwedd-arach:

> *Norwood, Norwood, ha, ha, ha,*
> *Other digs we beat by far,*
> *On the door you'll see the sign*
> *Norwood, Norwood, 39.*

Ac o dan gronglwyd y Norwood hwnnw, sydd bellach yn eiddo i'r Brifysgol ei hun, y treuliais i'r rhan fwyaf o'r tair blynedd nesaf. A thair blynedd rhyfeddol fuon nhw hefyd.

Roeddan ni'n griw cwbl wahanol i'n gilydd. Yn rhannu ystafell â mi am y cyfnod cyfan roedd Phil Woosnam o Gaersws, un o'r bobl garedicaf ac anwylaf y cefais i'r fraint o'u hadnabod. Ffiseg oedd pwnc Phil ac roedd o'n dipyn o giamstar yn y maes hwnnw ac yn gweithio'n galed ar ei waith academaidd bob amser. Ond roedd ganddo ddiddordeb mawr arall a phêl-droed oedd hwnnw – ac yn y maes hwnnw, wrth gwrs, y disgleiriodd weddill ei oes. Bu'n chwarae i rai o glybiau mawr Lloegr a chwaraeodd i dîm ieuenctid, tîm amatur a thîm proffes-iynol Cymru. Fo gafodd ei ddewis i sefydlu'r gêm bêl-droed yn Unol Daleithiau America, ond pan oedd o'n fyfyriwr ym Mangor chafodd o rioed ei ddewis i dîm cyntaf Dinas Bangor – dim ond y *Bangor City Reserves* a ddaeth i'w ran. Ond roedd bod yn ei gwmni fo'n brofiad ardderchog.

Roedd yna dîm ardderchog yn y Coleg ar y Bryn ar y pryd ac roeddwn innau wedi cael fy hun yn ysgrifennydd y Clwb Pêl-droed o fewn ychydig fisoedd. Roedd ganddon ni griw disglair – pobl fel John Cowell yn y gôl, Bill Griffiths o Abersoch yn arwain y llinell flaen a John

Howard Davies, a ddaeth wedyn yn Gyfarwyddwr Addysg Clwyd a Chadeirydd S4C, hefyd yn un o'r sêr. Ar yr un pryd roedd yna griw disglair yn chwarae pêl-droed i'r Coleg Normal – cewri fel Arthur Evans o Fachynlleth, Gordon Griffiths a John O. Pritchard.

Dyma'r amser pan sefydlwyd tîm ar y cyd rhwng y ddau sefydliad. Peritus oedd enw'r clwb newydd a'r bwriad oedd cystadlu hefo Pegasus, y clwb oedd wedi'i sefydlu gan fyfyrwyr Rhydychen a Chaergrawnt tua'r un pryd. Cafodd Peritus gyfnod eithaf llwyddiannus, yn enwedig yng nghystadleuaeth Cwpan Amatur Cymru – ond, fel nifer o bethau eraill colegol, rhyw seren wib o glwb pêl-droed fuodd o. Pan oedd y sêr cychwynnol yn gadael eu colegau i fynd i chwilio am swyddi, diflannodd y diddordeb cychwynnol yn y clwb newydd. Ond roedd yn arbrawf diddorol yn ei ddydd ac fe adawodd ei farc ar fywydau'r rhai a fu ynghlwm wrtho.

Un peth a barhaodd ar hyd y blynyddoedd oedd y cyfarfyddiadau blynyddol rhwng y Coleg Normal a Choleg y Brifysgol am y Wooly Cup. Roedd y gemau hynny'n ddigwyddiadau o bwys, yn enwedig y rheiny a ddigwyddai ar gae Dinas Bangor yn Ffordd Farrar. Nid myfyrwyr yn unig fyddai'n tyrru yno ar y prynhawniau Mercher hynny. Roedd degau o bobl y ddinas yn troi allan hefyd a'r mwyafrif llethol ohonyn nhw'n cefnogi bois y Coleg Normal. Wnes i erioed ganfod pam mai felly roedd hi, ond roedden nhw'n gemau ardderchog. Doedd dim cyfeillgarwch o gwbl ar y cae am awr a hanner. Fe gefais i'r profiad o geisio dyfarnu ambell un o'r gemau hynny a doedd o ddim yn brofiad melys o gwbl, ond roedd pawb yn ffrindiau ar ôl y gêm. Wel, bron iawn bawb. Ond stori arall ydi honno, ac mi gaf gyfle i sôn am rai o'r gemau eu hunain mewn pennod arall.

Dwi'n siŵr eich bod chi wedi sylwi mai at chwaraeon yr ydw i wedi troi'n gyntaf oll wrth sôn am ddyddiau'r Coleg ar y Bryn. Fel y gwelwch chi, does gen i fawr o ddim arall i sôn amdano yn ystod y tair blynedd y bûm i'n troedio coridorau'r lle.

Mae'n rhaid cyfaddef fy mod i wedi llwyddo i fod yn fethiant academaidd anrhydeddus iawn. Dyna lle'r oeddwn i wedi cyrraedd Bangor gyda disgwyliadau mawr y byddai'r hogyn o Lannerchymedd yn cymryd camau breision ymlaen ar yr ysgol academaidd Gymreig. A dweud y gwir, roeddwn i fy hun wedi bod yn breudd-wydio am hynny laweroedd o weithiau wrth edrych i fyny at y Bwrdd Anrhydedd yn y Neuadd Ganol yn hen Ysgol Sir Llangefni. Roedd yna res o enwau yn y fan honno – enwau pobl oedd wedi disgleirio – ac roeddwn i, weithiau, yn gweld fy enw fy hun yno ymhen blynyddoedd. Os oedd dwy ferch fel Myfanwy Roberts (Myfanwy Howells wedyn) ac Eirwen St John Williams (y Dr Eirwen Gwynn wedyn) wedi gallu serennu, roedd hi'n gwbl bosib i'r Gwilym Owen hwn hefyd gyrraedd yr uchelfannau. Ac, wrth gwrs, roedd Mam hefyd yn disgwyl pethau mawr. Ond o'r diwrnod cyntaf bron, fe ddaeth hi'n weddol amlwg i mi fy mod i – yn acad-emaidd, beth bynnag – fel pysgodyn allan o ddŵr.

I gychwyn, roedd y tymor cyntaf yn hunllef. Roeddwn i'n ei chael hi bron yn amhosib i setlo i lawr ym Mangor gan fod gen i hiraeth mawr am gartref. Roeddwn i'n colli arweiniad yr athrawon hefyd. Allwn i yn fy myw ddilyn trywydd rhai o'r darlithwyr. Yn wir, roedd gan ambell un ohonyn nhw – fel brawd o'r enw Fitton-Brown yn Adran y Clasuron a Miss Una Apps yn yr Adran Hanes – y ddawn unigryw i'm clymu mewn anobaith meddyliol, ac rydw i'n bendant fod y creaduriaid bach yn eu clymu eu hunain hefyd mewn niwlogrwydd geiriol. A dyna ichi'r hanesydd rhyfeddol hwnnw, Denholm Young, oedd yn byw yn ei fyd bach ei hun. Er cystal academydd oedd o, doedd o ddim yn gallu cyfathrebu o gwbl hefo hogyn bach twp o ganol Ynys Môn.

Diolch i Dduw, roedd pethau dipyn yn wahanol yn yr Adran Gymraeg. Roedd yna ynys dangnefeddus unwaith yr wythnos yng nghwmni'r athrylith o Athro, y Dr Thomas Parry, ac roedd darlithiau Miss Enid Pierce Roberts, os nad yn ddiddorol iawn, yn hynod drylwyr. Ar ei chyfer hi yr oeddan ni'n gorfod ysgrifennu traethodau a mynd yn grwpiau o dri neu bedwar i siarad yn ei hystafell. Rydw i'n dal i gofio dod oddi yno unwaith wedi cael *Alpha minus* am draethawd ar 'Y Bardd Gwlad'. Y pnawn hwnnw, a dweud y gwir, oedd un o binaclau mawr y tair blynedd a dreuliais yn y Coleg – efallai mai dyna'r unig binacl academaidd. Am y gweddill o'r amser rhyw grafu drwodd yr oeddwn i, yn cymryd dau gam ymlaen weithiau a phedwar yn ôl. Y demtasiwn wedyn oedd colli diddordeb yn y pynciau – ac ymateb y darlithydd, yn eithaf naturiol, oedd colli diddordeb ynof fi. Canlyniad hynny, wrth gwrs, oedd fy mod i'n llithro fwyfwy i ddifancoll academaidd. Ac er bod cyfeillion agos, pobl fel Bedwyr Lewis Jones a John Rowland Jones o Dregarth, yn dweud y drefn yn aml iawn ac yn eiriol arna i i ddod at fy nghoed, fy nhuedd oedd gwrthod pob arweiniad a thorri fy nghwys ffôl fy hun. Er fy mod i'n gwybod beth fyddai'r canlyniadau, dal i adael i bethau lithro wnes i.

Ond nid gwastraff amser llwyr oedd fy nhymor ym Mangor. Yn ystod fy mlwyddyn gyntaf fe gyfarfyddais ag un o ferched Bangor Uchaf. Roedd h'n arferiad bryd hynny i griw o fyfyrwyr gyfarfod wrth y Siop Chips – yr ochr arall i'r ffordd i dafarn y Belle Vue – ac yno y cafodd Eirlys a minnau ein sgwrs gyntaf. Roedd hi newydd ddechrau gweithio hefo'r BBC ym Mron Castell ac fe fuom ni'n cwrdd yn weddol reolaidd dros y tair blynedd y bûm i yn y Coleg, er nad oedd hi na finnau wedi meddwl bryd hynny y bydden ni'n priodi ychydig flynyddoedd yn ddiweddarach. A dyna'r enghraifft bwysicaf i brofi nad methiant llwyr fu fy nyfodiad i geisio llyncu dysg yn y Coleg ar y Bryn.

Profiad arall na fuaswn wedi'i gael fel arall oedd y fraint o gymryd rhan yn un o berfformiadau Cymdeithas y Ddrama Gymraeg yng Ngholeg Bangor, a hynny o dan arweiniad y diweddar annwyl John Gwilym Jones. Ac yn bwysicach, hyd yn oed, cael gwneud hynny yn y cyflwyniad cyntaf o'r ddrama *Llywelyn Fawr* gan y Dr Thomas Parry.

Roedd hwnnw'n brofiad nas anghofiaf byth. Roedd bod yn bresennol pan oedd John Gwilym yn cyfarwyddo'r Côr Llefaru yn brofiad i'w gofio. Fe dreuliodd oriau'n perffeithio'r dweud – roedd yn rhaid cael pob llafariad a chytsain yn eu lle, ac roedd y criw o ferched oedd yn y Côr Llefaru wedi blino'n lân ar ddiwedd rihyrsal. Fe ddeuai'r awdur ei hun, hefyd, i amryw o'r rihyrsals ac roedd ganddo yntau ei gyfraniad i'w wneud. Cofiaf iddo fy nysgu sut yn union i lefaru'r unig araith o faint sydd gan Ednyfed Fychan yn y ddrama. Rydw i'n siŵr fod pawb a gymerodd ran yn y perfformiad hwnnw'n dal i drysori'r profiad, ac mi fydd un ohonynt yn fy nghyfarch o hyd ar faes y Steddfod gyda'r gosodiad, 'Ednyfed Fychan o Benmynydd Môn – Distain Tywysog Gwynedd'.

Roedd yna nifer o fyfyrwyr ym Mangor bryd hynny a aeth ymlaen i wneud cyfraniad gwiw i fywyd Cymru – pobl fel Bedwyr Lewis Jones, Glyn O. Phillips, Gwilym Humphreys, Teleri Bevan, John Howard Davies, J. Gwynn Williams, Tom Pritchard ac ymlaen ac ymlaen.

Ond roedd yna un, cyfaill personol i mi, a ddiflannodd oddi ar wyneb y cread. Cyfeirio yr ydw i at John Rowland Jones o Dregarth. Hanesydd disglair, cenedlaetholwr cadarn, actor a diddanwr, ysgrifennwr caboledig a dadleuwr ardderchog. Y fo oedd fy arwr i. Y fo fyddai'n gwneud ei orau glas i gadw trefn arna i. Mi fyddai'n fy niawlio ac yn fy nghynghori. Byddai'n gas ac yn greulon pan oedd angen ond roedd o'n biler o gadernid. Gofalai am ei fam weddw a doedd dim pall ar ei garedigrwydd. Safodd fel ymgeisydd Plaid Cymru mewn etholiad seneddol ar Ynys Môn a chwblhaodd ei waith ymchwil yn y Coleg.

Roeddwn i'n siarad ag o yn Neuadd y Penrhyn ym Mangor ym 1956 a chyn diwedd yr wythnos honno fe ddaeth y stori'i fod o wedi diflannu a bod chwilio mawr amdano. Hyd y gwn i ni welwyd John Rolls byth wedyn. Beth ddigwyddodd iddo fo? I ble'r aeth o? Mae'r cyfan yn ddirgelwch. Beth bynnag yw'r ateb, fe gollais i gyfaill a fu'n gefn mawr i mi ac, yn sicr, fe gollodd Cymru fachgen ifanc talentog a galluog a allai fod wedi gwneud cyfraniad pwysig iawn i Gymreictod ail hanner yr ugeinfed ganrif.

Y fo, yn fwy na neb arall, a'm perswadiodd i fod gan Blaid Cymru le pwysig ym mywyd Cymru'r dyfodol, a doedd hynny ddim yn athroniaeth boblogaidd – hyd yn oed ymhlith myfyrwyr Bangor – y dyddiau hynny. Ond roeddwn i ar dân dros yr athroniaeth o genedlaetholdeb. Roeddwn i'n falch o arddel f'aelodaeth o Blaid Cymru. Roeddwn wedi gwirfoddoli i werthu'r *Ddraig Goch* a'r *Welsh Nation* yn y Coleg ac wedi gwneud yr un peth gyda'r Undeb Athrawon ifanc, U.C.A.C. – roeddwn i'n rhyw fath o lysgennad i'r Undeb hwnnw ymhlith y myfyrwyr. Roedd unrhyw beth a roddai gyfle imi bregethu'r weledigaeth yn fêl ar fy mysedd.

Yn ystod fy mlwyddyn gyntaf ym Mangor fe ddaeth newid mawr. Roedd bachgen hiraethus y tymor cyntaf wedi troi'n anifail gwleidyddol erbyn y trydydd tymor, yn gymaint felly fel fy mod yn aelod o Gyngor y Myfyrwyr (wedi f'ethol, felly) erbyn dechrau'r ail flwyddyn. A hynny er bod pawb yn gwybod fy mod yn un o hogiau'r 'Blaid Bach'.

Roeddwn i wedi peidio ysgrifennu dim byd creadigol, gan fy mod wedi dod i gredu mai trwy genhadu a dadlau'n wleidyddol ac ieithyddol yr oedd cael dylanwad. Yr unig beth a ysgrifennais yn ystod y tair blynedd oedd y rhigwm bach yma a gyhoeddwyd yn y cylchgrawn Ffenics:

Y Cymro Undydd

Fe'i gwelir yn yr Undeb
Yn siarad Saesneg clir

Heb boeni dim am Gymru
Na'r gormes ar ei thir!

Ond pan ddaw Dydd Gŵyl Dewi
Mae'n gwisgo blodyn ciwt,
A'r cyfan o'i Gymreictod
Yn felyn ar ei siwt.

Ydi, mae hynna'n dweud y cyfan amdanaf y dyddiau hynny. Ac roedd yna griw o bobl yn y Coleg y gallwn drafod digon â nhw – pobl fel Roy Lewis ac Ivor Wilkes – ac yn ninas Bangor ei hun yr oedd bachgen o'r enw Peter Lewis, a gafodd ei hun mewn dyfroedd dyfnion iawn a orffennodd gyda chyfnod yn y carchar. Ddigwyddodd dim byd tebyg i mi ond mi gefais brofiad digon poenus am imi agor fy ngheg yn ormodol ar fater Cymreictod.

Diwrnod Ffair y Borth oedd hi ym 1952. Yn ystod y pnawn roeddwn i ar strydoedd Porthaethwy yn gwerthu fy nghopïau niferus o'r *Ddraig Goch* a'r *Welsh Nation,* ond prin iawn oedd y croeso a gawn i gan y bobl oedd wedi dod yno i chwilio am fargeinion llawer mwy apelgar. Ar waetha hynny, roeddwn i'n dal ati i geisio gwerthu a pherswadio – a'r un pryd yn ymwybodol fy mod i'n cael fy ngwylio'n ofalus gan Arolygydd yr heddlu a dau neu dri o blismyn. Ddaru'r naill na'r llall ddim dweud gair wrthyf, dim ond fy ngwylio. Ar ôl dwyawr neu dair fe ddaliais fws yn ôl am Fangor.

Fin nos, roeddwn i'n ôl yn y Borth yng nghanol y gyfeddach arferol a orffennodd gyda myfyrwyr y Normal a'r Brifysol yn ymgiprys â'u gilydd am yr ynys fach ar ganol sgwâr y Borth. Y gystadleuaeth oedd cael lliwiau'r naill goleg ar y mynegbost yng nghanol y ffordd. Roedd hi'n dipyn o ymryson, a chryn dipyn o ymrafael a dyrnu corfforol yn digwydd. Penderfynodd yr heddlu fod yr amser wedi dod i gadw trefn ac i mewn â nhw gan chwifio'u ffyn i bob cyfeiriad a gafael mewn hogyn o'r Brifysgol a'i fartsio i gyfeiriad Swyddfa'r Heddlu. Yr Arolygydd oedd ar y stryd yn y pnawn oedd â gofal am y perfformiad, ac o fewn ei glyw dyma finnau'n datgan yn groyw a dewr:

'Hitiwch befo hogia, mae'r rhain yn ddigon da i golbio stiwdants yn Ffair y Borth, ond bob tro mae'r Frenhines yng Nghymru' – roedd hi newydd fod yng Nghwm Elan – 'mae'n rhaid cael plismyn o Birmingham i ofalu amdani hi.' (Honiad perffaith gywir!)

Cyn i mi gael amser i symud cam dyma'r Arolygydd yn rhoi peltan galed imi ar draws fy ngwyneb nes fy mod i'n hedfan, yn llythrennol, drwy'r dorf ac yn disgyn ar fy nghefn yn y gwter, a chlywais lais o'r dyrfa'n dweud:

'Dyna ddysgu gwers i ti, y diawl bach cegog – dos yn ôl i Fangor gynted ag y medri di, cyn iti gael cweir go iawn.'

Mi fûm i'n ddigon dwl i godi, ac er fod y gwaed yn llifo o'm ceg, fe geisiais gael mwy o wybodaeth am yr Arolygydd cyn i ddau blismon ifanc fy rhybuddio fy mod ar fin cael fy arestio. Ond yr hyn a roddodd gaead ar fy mhiser go iawn oedd clywed dau neu dri o hogia Llannerchymedd yn awgrymu fod y plismyn yn iawn ac y dylai fod gen i gywilydd 'mod i o bawb yn achosi problemau ar noson Ffair y Borth.

'Roeddan ni'n disgwyl rhywbeth gwell gen ti' oedd y sylw a aeth at y galon, ac roedd gen i ofn mawr y byddai'r stori'n mynd yn ôl i'r Llan ac y byddai Mam yn cael clywed beth oedd wedi digwydd. Wn i ddim a aeth rhywun i ddweud wrthi ond ddaru hi erioed godi'r mater hefo fi. Y diwrnod dilynol roedd fy ngheg yn brifo'n gythreulig, a phetawn i am brotestio'n llafar allwn i ddim gwneud hynny. Ond roeddwn i'n teimlo'n ddigon da i fentro sgwennu llythyr at Brif Gwnstabl Heddlu Gwynedd, y Cyrnol Jones Williams, yn esbonio beth oedd wedi digwydd. Prin ei fod o'n synnu'r rheiny sy'n ei gofio i ddeall na ddaru'r Cyrnol ddim hyd yn oed trafferthu i ateb yr epistol hwnnw: doedd gan y Cyrnol fawr o gydymdeimlad hefo pobl tebyg i mi.

Y dyddiau hynny doedd neb yn mentro bwrw amheuaeth ar hawl plismon i ddelio ag unrhyw sefyllfa yn ei ddull dihafal ei hun, ac roedd y prif gopyn yng Nghaernarfon, hyd y gwelwn i, yn gefnogol iawn i'w swyddogion ar bob achlysur. Cwbl ddibwrpas oedd parhau â'r brotest, felly, a chlywodd yr Arolygydd ddim mwy am y gelpan a roddodd o i stiwdant yn y Borth nes i'r ddau ohonom ddod wyneb yn wyneb â'n gilydd flynyddoedd yn ddiweddarach. Erbyn hynny, roedd o'n swyddog gydag Undeb Cenedlaethol y Ffermwyr ar Ynys Môn a minnau'n newyddiadurwr teledu. Doedd o'n cofio dim am y beltan, ond roedd y boen yn fy moch yn dal yn fyw iawn yn fy nghof i!

Ond ddaru'r driniaeth yn Ffair y Borth ddim llwyddo i'm perswadio i anghofio am fy nheimladau Cymreig. Rydw i'n cofio arwain Noson Lawen yn Addoldy'r Eglwys yn y Gadeirlan ym Mangor y noson ar ôl marwolaeth y Brenin Sior VI ac, er mawr gywilydd i mi, gwnes yn fawr o bob cyfle i lawenhau ym mhrofedigaeth Prydeindod y noson honno. Rydw i'n cofio awgrymu na fu gwell noson erioed i gynnal Noson Lawen a chael cymeradwyaeth fawr gan y rheiny o gyffelyb fryd oedd yn bresennol. Roeddwn i'n ddiffuant yn credu yn yr hyn yr oeddwn yn ei lefaru, ond dwi'n cofio John Rolls yn dweud yn dawel ar ddiwedd y noson fy mod i efallai wedi mynd dros ben llestri.

'Cofia,' medda fo, 'mae yna bobol yn gwrando ac fe allet gael dy hun i drwbl.'

Ond y dyddiau hynny roeddwn i'n gwbl gibddall ac yn amharod iawn i gymryd cyngor gan neb.

Roedd hynny'n arbennig o wir cyn belled ag yr oedd fy ngwaith honedig academaidd yn y cwestiwn. Roedd pethau'n mynd o ddrwg i waeth ond, rywsut, roeddwn i'n gallu cael dau ben llinyn ynghyd a doedd awdurdodau'r Coleg ddim wedi dweud wrth y Weinyddiaeth Amddiffyn nad oedd yn werth fy nghadw ar lwybr dysg am lawer yn hwy.

Roeddwn yn cael cryn dipyn o waith darlledu ar raglenni i ysgolion, rhaglenni nodwedd ac *Awr y Plant*, ac roeddwn hyd yn oed wedi cychwyn paratoi adroddiadau ar gemau pêl-droed o Ogledd Cymru ar gyfer gwasanaeth newyddion Cymraeg y BBC. Yn ogystal â hynny roedd gen i golofn wythnosol ar bêl-droed y Coleg yn y *Daily Post,* a byddai gennyf gyfraniadau achlysurol ym mhapurau Saesneg Gogledd Cymru. Roedd yr ysfa newyddiadurol wedi cychwyn yn barod. Roedd hyn i gyd – yn ogystal â mynd i weithio ar y bysus yn Llandudno yn ystod gwyliau'r haf – yn ddigon i'm cynnal a'm cadw ym Mangor.

Yn ystod y cyfnod hwnnw hefyd y penderfynais ddechrau ymweld yn bur rheolaidd â lle o'r enw 'Ma

Browns' – tafarn fach Y Glôb yn Stryd Albert ym Mangor Uchaf.

'Ma' oedd gwraig weddw (hen wraig, a dweud y gwir) oedd yn berchen y 'tŷ potas' arbennig yma. Tŷ bach mewn teras oedd y dafarn – parlwr a stafell fyw a phantri yn y cefn. Yn y stafell fyw yr oedd y man cyfarfod – doedd yna ddim bar, dim ond dwy gadair fawr a seddau pren caled o gwmpas dau fwrdd. Y tân yn y canol a llond tegell a llond sosban o ddŵr yn berwi arno i sicrhau fod digon o wydrau glân ar gyfer y llymeitwyr. Prin iawn oedd y cwsmeriaid yn ystod y dydd ond roedd hi'n eitha llawn o gwmpas y byrddau ar nosweithiau Mercher, Gwener a Sadwrn.

Ar y nosweithiau hynny, byddai'r 'barman' wrth ei waith. Now oedd o i ni'r cwsmeriaid cyson, ond Owen Thomas oedd o i bobl Bangor Uchaf. Y fo fyddai'n gyfrifol am gadw'r strydoedd yn lân ac roedd ganddo dipyn o feddwl o'i ddyletswyddau ac yn fawr ei barch gan y trigolion. Gwaith Now oedd sicrhau fod pawb yn cael ei wala o'r 'ffisig', fel bydda fo'n ei alw fo. Fe fyddai'n cario'r ffisig mewn dwy jwg fawr ac yn llenwi'r gwydrau yn ôl y galw. Ei gyfarchiad bob amser fyddai 'Haiah La', a rhaid oedd gofalu prynu llymaid iddo fo ar ddechrau'r noson.

Ond Ma Brown ei hun fyddai'n pocedu'r arian, ac yn rhoi'r newid. Doedd wiw i neb regi na chodi'i lais yn ormodol neu mi fyddai'n clywed y gair enwog *'Out'*, ac unwaith y byddai hynny'n digwydd doedd dim maddeuant i'w gael. Byddai'r drws ar gau am byth. Pechod arall yn ngolwg yr hen wraig fyddai'i churo mewn gêm dominos yn rhy aml. Roedd hi'n fodlon i ambell stiwdant bach ei threchu ambell dro, ond roedd yn bwysig cofio mai hi oedd y 'bos'.

Roedd 'Ma Browns' yn lle da hefyd i gyfarfod rhai o gymeriadau diddorol Bangor Uchaf. Mae gen i atgofion melys iawn am y trafod a ddigwyddai yno hefo pobl fel Harry Smith, Dic Roberts, Wally Thomas a llawer iawn o rai eraill a fyddai'n seiadu o gwmpas bwrdd cegin yr hen Mrs Brown.

Roedd yna griw o fyfyrwyr hefyd oedd yn ymwelwyr cyson â'r dafarn ond mae'n deg dweud mai ychydig iawn o Gymraeg a glywid yno ym mlynyddoedd cyntaf pumdegau'r ganrif ddiwethaf. Fuasai Mrs Brown ddim yn hapus iawn o wrando ar sgwrs nad oedd hi'n ei deall. Ac er fy mod inne'n fy ngalw fy hun yn Gymro twymgalon dros yr iaith Gymraeg ar aelwyd yr hen wraig, roedd gen i ofn i'r gair *'Out'* yna ddiasbedain yn fy nghlustiau – er efallai, o edrych yn ôl, y gallai hynny fod wedi bod yn fendith i mi.

Y tu allan i'r Glôb roedd y cenedlaethol dân yn dal i losgi ac fe ddaeth yn fwy amlwg fyth hanner ffordd drwy fy nhrydedd flwyddyn ym Mangor. Yn sydyn reit, heb rybudd o gwbl, fe ddaeth gwŷs yn y post yn fy ngalw am archwiliad meddygol yn Wrecsam ar gyfer gwasanaeth milwrol. O, meddwn wrthyf fy hun, mae'n debyg mai methu fydd fy hanes; falle bod yna ryw wendid yn rhywle fydd yn fy ngwneud yn gwbl ddiwerth yn y lluoedd arfog. Felly i ffwrdd â mi ar y diwrnod mawr heb ddweud gair wrth neb.

Cyrraedd Wrecsam a chael fy hun ynghanol degau o rai eraill. Mynd trwy bob math o brofion deallusrwydd cyn cael y prawf meddygol a chlywed y newyddion ar ddiwedd y pnawn. Roedd y pen bandit yn wên o glust i glust wrth gyhoeddi fy mod yn gwbl iach ac yn A1 i wasanaethu'r Frenhines yn un o'i Lluoedd – a 'mod i hefyd, ar sail y profion deallusrwydd cyntaf, yr hyn a alwai o yn *Potential Officer Material*. Ond, meddai, efallai y byddai'n rhaid imi ystyried aros yn lifrai ei Mawrhydi am gyfnod hirach na'r ddwy flynedd orfodol. Diolchais i'r brawd cyn troi'n ôl am yr orsaf yn greadur ofnadwy o ddigalon.

Roedd y cymylau duon yn dechrau hofran o'm cwmpas ac roedd y daith yn ôl i Fangor yn hunllef llwyr. Beth oeddwn i'n mynd i'w wneud? Sut roeddwn i'n mynd i dorri'r newydd i Mam? Roedd hi'n amlwg fod rhywun yn y Coleg wedi penderfynu rhoi gwybod i'r awdurdodau fy mod i'n fethiant ac na ddeuai llwyddiant i'm rhan petawn yno am ddegawd.

Ar ôl dod yn ôl i Norwood, dyma ddechrau meddwl go iawn. Pan ddyliwn i blygu i'r drefn? Pam ddyliwn i fynd i wasanaethu'r Cwîn? Onid oedd meibion ffermydd ar Ynys Môn yn cael aros gartref? Onid oedd yna berthnasau i ffermwyr yr Ynys wedi penderfynu dod i weithio ar y tir yn hytrach na gorfod 'listio'? Onid oedd yna rai o'm cyfeillion wedi cael galwad sydyn i'r weinidogaeth er mwyn sicrhau nad oedd gorfodaeth arnynt i wasanaethu yn y Lluoedd Arfog? Yn anffodus, doedd yna ddim posib i mi ddadlau fod gen i hyd yn oed ddiddordeb mewn ffermio heb sôn am geisio perswadio neb fod y Bod Mawr am i mi ei wasanaethu.

Roedd gen i un ddadl i'w chyflwyno i'r awdurdodau ac mi allwn wneud hynny gyda diffuantrwydd. Roeddwn i'n Gymro. Doedd gen i ddim diddordeb mewn gwasanaethu ei Mawrhydi yn lifrai ei Lluoedd Arfog, ac mi allwn i'n gydwybodol ddadlau fy mod yn wrthwynebydd i gyfrannu tuag at amddiffyn Prydeindod. Felly, heb drafod â neb, – ond cael gair â John Rolls – dyma ddatgan wrth yr awdurdodau fy mod yn wrthwynebydd cydwybodol ar sail fy nghenedlaetholdeb Cymreig.

Awgrymodd John o'r cychwyn nad oedd gen i obaith o gwbl i berswadio'r wladwriaeth gyda'r fath ddadl ond roeddwn yn benderfynol mai felly oedd hi i fod. Soniais i'r un gair wrth fy nheulu na neb arall, ac ymhen rhai wythnosau fe'm galwyd i ymddangos o flaen tribiwnlys yng Nghaernarfon.

Chymerodd fy achos ddim ond ychydig funudau. Doedd neb yn fodlon gwrando ar fy nadleuon, doedd gen i neb i'm cynnal a gwrthodwyd fy nghais i gael fy nghofrestru fel gwrthwynebydd cydwybodol. Ymhen rhai dyddiau cefais lythyr yn cadarnhau'r dyfarniad, ond hefyd yn fy hysbysu fod gen i hawl i apelio i dribiwnlys uwch. Roedd gen i fis i baratoi achos ar gyfer hwnnw.

Y tro yma fe soniais am fy mwriad wrth gryn hanner dwsin o bobl eithaf blaengar ym mywyd cenedlaethol Cymru ar y pryd, ond chefais i fawr ddim cydym-deimlad. A dweud y gwir, chefais i ddim ateb o gwbl gan rai ohonyn nhw. Fe ysgrifennais at Cledwyn Hughes, fy aelod seneddol newydd ym Môn. Cefais air yn ôl gyda'r troad yn cydymdeimlo â'm safbwynt ond yn fy nghynghori mai di-bwrpas oedd fy safiad ac nad oedd dim ymarferol y gallai o ei wneud.

Efallai y byddai wedi bod yn ddoethach petawn i wedi peidio mynd ymhellach ond roedd y ffaith fy mod yn sefyll ar fy mhen fy hun yn fy ngwneud yn gwbl benderfynol i gario ymlaen. Efallai mai hon oedd yr esiampl gyntaf go iawn o'r ystyfnigrwydd hwnnw a fu'n wendid yn fy nghymeriad ar amrywiol achlysuron yn ystod fy mywyd wedyn.

Ymhen amser daeth y wybodaeth mai yn Birmingham y byddai'r Tribiwnlys Apêl a rhoddais wybod i griw bychan o bobl am y digwyddiad. Ond fel roedd y diwrnod yn agosáu fe ddaeth hi'n gwbl amlwg i mi mai ar fy mhen fy hun y byddwn i.

Ar y diwrnod ei hun, ymddangosais o flaen Barnwr cwbl ddigydymdeimlad ond rhoddodd gyfle i mi ddweud fy nweud. Edrychodd ar y dogfennau oedd o'i flaen. Chododd o mo'i ben i edrych arna i – dim ond cyhoeddi nad oedd sail i'r apêl, bod y dyfarniad gwreiddiol yng Nghaernarfon yn un cywir a'i fod o felly'n gwrthod yr hawl imi gael fy nghofrestru'n wrthwynebydd cydwybodol. Yna rhoes orchymyn imi fynd.

Anghofia i byth y daith yn ôl i Fangor. Dyna beth oedd picil. Roedd hi'n gwbl glir imi fod fy nghyrfa academaidd ar ben yn y Coleg ar y Bryn. Y dewis rŵan oedd cario 'mlaen â'm safiad a derbyn mai'r unig ddewis wedyn fyddai cyfnod yng ngharchar, neu fe allwn blygu i'r drefn a derbyn yr alwad i'r lluoedd pan ddeuai honno.

O'm rhan fy hun roeddwn i'n dal yn ystyfnig mai gwrthod mynd y dymunwn wneud – ond beth fyddai ymateb y teulu, yn enwedig Mam? Byddai'r ffaith bod fy nhad a hithau, a'm dau frawd a chwaer, wedi gwneud popeth o fewn eu gallu i hwyluso fy ngyrfa golegol o dan amodau anodd iawn, i ddim ond i'm gweld yn cael fy nghloi mewn carchar, yn sicr o fod yn siomiant mawr iddyn nhw. Yn waeth na hynny, doeddwn i ddim wedi bod yn ddigon dewr a gonest i ddweud wrthyn nhw fy mod i yn y fath bicil. Ond oni fyddai gorfod cyfaddef fy mod i ar fy ffordd i'r lluoedd o ganlyniad i fod yn glamp o fethiant academaidd yn gymaint o ergyd hefyd? Fel y teithiai'r trên ar hyd arfordir y Gogledd, roedd y baich yn mynd yn drymach ac yn drymach.

Wedi cyrraedd Norwood yn Ffordd y Coleg, roedd hi'n amlwg i Miss Mary Jones fod rhywbeth mawr yn fy mhoeni. Addawodd na fyddai'n sôn gair am fy mhroblemau wrth neb ac wrthi hi y dywedais fy holl stori. Roedd hi'n bendant mai un dewis oedd gen i a hynny oedd plygu i'r drefn a derbyn yr alwad pan fyddai honno'n dod. Roedd hi'n credu hefyd y dylwn adael i'r teulu wybod yr holl ffeithiau ond addawodd eto na fyddai hi'n dweud dim.

Roeddwn i mewn cyfyng gyngor go iawn a gwastraff amser llwyr oedd meddwl am arholiadau a phethau felly. Dyma bacio fy mhac, ar ôl clywed gan gwmni Crosville fod gwaith ar gael ganddynt dros yr haf, a'i throi hi am Landudno – ond fe benderfynais roi gwybod i'r Awdurdodau beth oedd fy nghyfeiriad yno. Byddai hynny'n sicrhau na fyddai unrhyw ohebiaeth yn mynd i unman arall, yn enwedig i Lannerchymedd. Aeth rhai wythnosau heibio heb imi glywed dim.

Roeddwn yn dal i fynd i Fangor i ddarlledu ar raglenni plant ac ysgolion. Yna daeth gwahoddiad gan y Dr John Gwilym Jones i gymryd y prif ran yn un o'i gynhyrchiadau a oedd i'w ddarlledu ar y degfed o Orffennaf, 1953. Roedd yn ddarllediad byw a rihyrsal am dair noson cyn hynny.

Drannoeth imi dderbyn y gwahoddiad hwnnw, fe ddaeth y wŷs yn fy ngalw i ymuno â'r Llu Awyr. Roedd yn rhaid gwneud penderfyniad rŵan. Doedd dim troi'n ôl. Diolch i'r nefoedd fod gen i sialens y ddrama radio i feddwl amdani. Fe weithiais yn galed ar y sgript ac roedd John Gwilym i'w weld fel petai wedi'i blesio. Daeth y darllediad i'w derfyn. Ffarweliais â phawb a neidio ar y bws yn ôl i Landudno.

Y bore canlynol oedd y diwrnod mawr. Gynted ag y cyrhaeddais dŷ Elwyn a Gwen Thomas yn Stryd Adelphi dyma gnoc ar y drws. Plismon oedd yno – un yr oeddwn yn ei adnabod yn dda. Awgrymodd fy mod yn dod at y giât fach a dywedodd wrthyf yn gwbl blaen fy mod i ddal y trên cyntaf o Landudno yn y bore. Byddai plismon yn fy nghyfarfod yn yr orsaf i sicrhau fy mod ar y trên ac ar fy ffordd i wasanaethu ei Mawrhydi (oedd newydd ei choroni). Pe methwn ag ufuddhau i'r gorchymyn yna byddai warant allan i'm harestio a'm cadw yn y ddalfa. Roedd o'n gwbl gyfeillgar ond hefyd yn gwbl bendant.

'Wyt ti'n deall be' ydi'r sefyllfa?' medda fo. 'Nid fy ngwaith i ydi rhoi cyngor iti. Mae'r cyfan yn dy ddwylo di rŵan.'

Fe'm gadawodd ac euthum inna'n ôl i'r tŷ, i fyny'r grisiau ac i'm llofft. Doedd dim cwsg i fod y noson honno, dim ond eistedd a meddwl. Erbyn pump o'r gloch y bore roedd y penderfyniad wedi'i wneud. Byddwn yn dal y trên am chwarter wedi chwech a byddwn yn plygu i'r drefn.

Rywsut, fe gredwn y byddai Mam yn derbyn fy mod yn y Llu Awyr yn llawer haws na'm bod yn y ddalfa ac yn wynebu cyfnod o garchar. Nid am y tro cyntaf, teimlais mai llwfrgi oeddwn i yn y gwraidd ac nad oedd gen i ddigon o asgwrn cefn i sefyll yn gadarn dros yr hyn a gredwn.

Mae'n rhaid cyfaddef imi gael y teimlad hwnnw ar amrywiol achlysuron wedyn.

Tindroi

Chafodd heddlu Llandudno ddim trafferth hefo fi y bore braf hwnnw o Orffennaf, 1953. Roeddwn i ar fy ffordd i RAF Cardington yn Swydd Bedford. Roedd hynny'n arwyddocaol ynddo'i hun. I leoedd fel Padgate a Henffordd y gelwid bechgyn y gwasanaeth dwy flynedd. Pam felly fy mod i wedi cael gwŷs i fynd i Cardington? Yno y gelwid y rheiny oedd wedi dewis arwyddo cytundeb pymtheg a dwy flynedd ar hugain o wasanaeth. Pethau felly – yn ogystal ag ofn ac ansicrwydd – a wibiai drwy fy meddwl ar y daith i Bletchley, lle roeddwn i adael y trên a ble byddai yna rywun, yn ôl y wŷs, yn aros amdanaf.

A gwir y gair. Roedd criw o blismyn y Llu Awyr ar yr orsaf a chyflwynais fy narn papur i un ohonyn nhw. Roedd yn amlwg ei fod ef a'i fêts yn aros am yr Owen arbennig yma. Cefais orchymyn i sefyll yn stond yn y fan a'r lle. Galwodd ar ringyll a galwodd hwnnw ar swyddog – *pilot officer* neu *flying officer* o heddwas – a daeth hwnnw ataf a'm hebrwng i swyddfa fach. Roedd gweddill y bechgyn oedd wedi cyrraedd ar y trên yn cael eu harwain i dryciau oedd yn aros amdanyn nhw ond roedd yn amlwg nad oeddwn i'n cael mynd hefo nhw. Daeth cerbyd at y swyddfa a dywedwyd wrthyf am fynd i'r sedd gefn ac eisteddodd y swyddog wrth f'ochr. Y cyfan ddeudodd o oedd, '*They're waiting for you*'!

Yn ystod y munudau nesaf doeddwn i ddim yn poeni pwy oedd y '*they*' yr oedd y swyddog wedi cyfeirio atyn nhw; y cyfan oedd yn mynd trwy fy meddwl oedd y ffaith fy mod i wedi cael fy hun mewn cebyst o dwll, ac i beth? Roeddwn i ar fy mhen fy hun – doedd yna neb yng Nghymru yn gwybod dim am hynny, ac yn sicr, doedd neb yn malio botwm corn am ddyfodol mab hynaf Hugh ac Annie, Glan Rhyd ym mhentref Llannerchymedd.

Faint o werth oedd neb yn ei roi ar fy safiad diwerth yn enw fy Nghymreictod? Yn sicr, fuasai neb ymhlith y Cymry da yn colli eiliad o gwsg petawn i'n cael fy nghosbi gan y criw oedd yn aros amdana i yng ngwersyll Cardington. Mae'n debyg mai ar y daith fer honno y penderfynais na fyddwn i byth eto'n arddel 'cenedlaetholdeb' fel f'athroniaeth wleidyddol.

Beth bynnag am hynny, cefais fy hebrwng o flaen dau swyddog pwysig yr olwg, *Squadron Leader* a *Group Captain*. Roedd fy holl hanes o'u blaenau, gan gynnwys y ffaith imi gysylltu â'm haelod seneddol. Un neges fer a phendant oedd ganddyn nhw: doedd gan y Llu Awyr ddim diddordeb o gwbl yn fy ngwleidyddiaeth a doedd dim cydymdeimlad â safbwynt yr unigolyn yn y lluoedd arfog. Mi allwn i fwynhau'r profiad oedd o'm blaen i os dymunwn hynny, ond mi allai fod yn uffern pe bawn yn penderfynu dal i brotestio.

Roeddwn am gael hyfforddiant yn gyntaf – tri mis yng nghwmni cant o fechgyn a oedd wedi gwirfoddoli i ymuno â'r Llu Awyr am flynyddoedd maith. Fyddwn i'n cael dim cydymdeimlad ganddyn nhw achos dyma'u dewis yrfa nhw. Y rhybudd oedd: un cam gwag ac mi fyddwn i mewn trwbwl mawr.

Chefais i ddim cyfle i gyfiawnhau fy hun, hyd yn oed petawn i'n teimlo fel gwneud hynny. Yn hytrach, cefais fy nghyfeirio yng nghwmni corpral sarrug i gyfeiriad y *billet* oedd i fod yn gartref imi am y dyddiau nesaf, y dyddiau pan gawn fy lifrai ar gyfer y ddwy flynedd nesaf a'r dyddiau pan fyddai'n rhaid imi anfon fy nillad fy hun adref.

Roedd hyn yn golygu, wrth gwrs, fod yn rhaid imi anfon llythyr i'm rhieni i esbonio beth oedd wedi digwydd i mi. Dywedais wrthynt am beidio anfon gair yn ôl gan y byddwn yn mynd i wersyll arall am gyfnod o hyfforddiant deuddeng wythnos. 'Square bashing' y gelwid hwnnw – cymysgedd o fartsio, ymarfer corff, brwsio a glanhau, caboli botymau a bathodynnau ac esgidiau, sgrwbio lloriau a thoiledau, plicio tatws – yn wir, unrhyw waith i droi'r unigolyn yn greadur a fyddai'n ymateb yn gwbl ddigwestiwn i bob gorchymyn a gyfarthwyd i'w gyfeiriad gan ryw satan o gorpral oedd yn credu fod echel y greadigaeth yn troi yn ei ben-ôl.

Ac yn wir, o fewn llai nag wythnos roeddwn i a thros gant o rai eraill (y mwyafrif llethol yn Albanwyr caled o ardal Glasgow) ar ein ffordd o Cardington i Wilmslow yn Swydd Caer.

Anghofia i byth mo'r noson honno. Cyrraedd yr orsaf, a hanner dwsin o gorprals cegog yn aros amdanom ac yn ein martsio ar hyd strydoedd y dref i gyfeiriad y gwresyll. Seindorf yn ein harwain, ac fel yr oeddem yn mynd i fewn drwy'r giatiau mawr dyma'r band yn taro'r gân 'There's No Place Like Home'. Rhwng y gerddoriaeth a'r gweiddi gan y diawliaid mewn grym roedd y dagrau'n agos iawn iawn. Ond roedd gwaeth i ddod.

Roeddwn yn fethiant llwyr unwaith eto. Os oedd darlithwyr Bangor wedi methu fy ngwneud yn academydd, roedd yr is-swyddogion yn Wilmslow hefyd yn dweud yn ddyddiol mai fi oedd yr *'horrible little man'* oedd yn esiampl perffaith o'r awyrennwr gwaethaf a welsant erioed.

Methais hyd yn oed â gwneud i fy 'meret' ffitio fy mhen. Yn lle'i wneud yn llai, llwyddais i ddyblu'i faint! Pan euthum allan y bore cyntaf roedd golwg cythreulig arna i a dyma'r corpral yn dod o fewn modfedd i'm hwyneb a gweiddi,

'*I thought you kept the p… pot under the bed. You've got the bloody thing on your head, haven't you?*' A minnau'n gorfod ateb,

'*Yes, corporal.*'

Diolch i'r nefoedd, doedd wiw i'r hogiau eraill chwerthin y funud honno ond fe ddaeth eu cyfle sawl tro yn ddiweddarach. Fe fûm yn fethiant ar bob lefel dros y cyfnod hwnnw. Methu glanhau fy ngwn, methu taro'r targed gyda degau o fwledi, methu martsio ochr yn ochr â phawb arall – dim cydweithrediad rhwng breichiau a choesau. Do, bu'r tri mis cyntaf yn uffern ar y ddaear. Ond fe gefais fynd ymlaen wedyn i'm hyfforddi'n *'fighter plotter'*. Wn i ddim a oedd yna rywbeth arwyddocaol yn y ffaith mai o dan y ddaear yr oeddwn i dreulio gweddill y ddwy flynedd o wasanaeth.

Roedd y gwersyll yn Warton, rhwng Preston a Blackpool, ond y gwaith ynghanol y wlad yn ardal Whittingham – gwaith cwbl ddibwrpas, a dweud y gwir, ond fy mod yng nghwmni criw o fechgyn ardderchog.

Teithio'n ôl a blaen mewn bws cyfforddus a chael cinio da bob dydd mewn tŷ bwyta yn Preston.

O fewn ychydig fisoedd roeddwn yn ddigon hyddysg i gael dwy streipen. Roedd y Llu Awyr wedi llwyr anghofio'r Owen 2594309 hwnnw a fu unwaith yn wrthwynebydd cydwybodol ac yn ddyn bach i'w wylio. Roedd yr awdurdodau'n credu fod ganddo gyfraniad i'w wneud. Roedd y profion hynny a gafodd o yn Wrecsam a awgrymai ei fod o'n *Potential Officer Material* yn dweud y gwir.

Cefais neges y dylwn fynd am gyfweliad ar gyfer cael comisiwn a bûm o flaen panel o uchel swyddogion. Roedd agwedd y rhain yn bur wahanol i'r rheiny welais i'r pnawn hwnnw yn Cardington. Os byddwn i'n barod i ystyried aros yn y Llu Awyr am flwyddyn ychwanegol fe fyddwn i'n cael fy mhenodi'n swyddog rhag blaen.

Ond doeddwn i ddim yn fodlon cytuno y diwrnod hwnnw. Yn ôl â mi i Longley Lane a'r bos yn fy ngalw i mewn i'w swyddfa ac yn esbonio fod y cynnig yn dal yn agored ond y byddai'n rhaid lliniaru rhyw gymaint ar fy *'far too prevalent Welsh accent'*. A wyddoch chi be? Chafodd y cyn-genedlaetholwr bach mo'i gythruddo gan frawddeg o'r fath. Yn wir, wrth i'r amser agosáu imi orfod wynebu dod allan o'r Llu Awyr, fe fûm i'n ystyried aros ymlaen lawer gwaith. Roedd yr amodau'n dda, y cyflog yn ardderchog a'r gymdeithas yn un hapus iawn. Roedd gen i nifer o ffrindiau arbennig – dau yn gyfeillion agos, Jim Hewson o Hartlepool a Glyn Thomas o Bort Talbot.

Ond roedd yna reswm neu ddau dros beidio neidio i'r trap o ddiflannu o'r bywyd Cymreig. Roedd Mam yn ysu am weld y diwrnod pan fyddwn i â'm traed yn rhydd. Roedd hi a'r teulu bellach wedi maddau imi – wel, yn allanol beth bynnag – am fod yn gymaint o fethiant academaidd.

Yn ogystal â hynny, roeddwn wedi ail-gysylltu ag Eirlys, y ferch o Fangor Uchaf a gyfarfyddais pan oeddwn yn hogyn bach unig yn ystod fy nhymor cyntaf yn y Coleg. Roedd yna ambell lythyr yn mynd o Warton i Fangor ac, yn bwysicach fyth, roedd yna ambell epistol yn dod yn ôl o Fangor i Warton. Roedd gen i lun ar y cwpwrdd wrth ochr fy ngwely a bob tro y byddwn yn ystyried aros ymlaen yn y Llu Awyr, rywsut mi fyddai edrych ar y llun yn fy mherswadio na ddylwn. Efallai, dros y blynyddoedd, fod Eirlys wedi teimlo o bryd i'w gilydd mai da o beth fyddai petawn i wedi cymryd cam gwahanol!

Codi

Felly, ar ôl union ddwy flynedd, gadael y Llu Awŷr fu fy hanes. Y cwestiwn mawr rŵan oedd beth oedd i ddigwydd wedyn. Roedd un peth yn gwbl sicr, doedd gen i ddim awydd troi'n ôl i gyfeiriad academia.

Am y ddwy flynedd nesaf rhyw grafu byw fu fy hanes i. Yn ffodus, doedd y cynhyrchwyr radio ym Mangor ddim wedi troi cefn arnaf a chefais amrywiol gynigion o waith, yn enwedig gan Elwyn Thomas oedd yn gyfrifol am ddarlledu i ysgolion. Cefais hefyd dreulio misoedd dau haf yn gweithio ar fysus Crosville yn Llandudno.

Erbyn diwedd y cyfnod roedd y berthynas rhwng Eirlys a minnau yn ymddangos fel petai'n mynd i fod yn un barhaol. Roedd hi'n gweithio fel ysgrifenyddes yn y BBC ym Mangor, felly penderfynwyd mai yno, ym Mangor, y byddai'n cartref cyntaf. Ac fel merch oedd â'i gwreiddiau'n ddwfn ym Mangor Uchaf, yn y rhan honno o'r ddinas yr oedd y fflat lle bu inni setlo i lawr ar ôl priodi.

Petawn i'n gwbl onest, roedd priodi'n drobwynt arall yn fy mywyd. Hyd hynny, roedd f'agwedd yn un pur benchwiban a chwbl hunanol – bellach roedd gen i gyfrifoldebau, ac o'r cychwyn cyntaf fe fu Eirlys yn fy sbarduno i wynebu'r cyfrifoldebau hynny. Nid bod hynny'n golygu ei bod hi'n unben ond roedd, ac mae, ganddi agwedd drefnus at fywyd, a diolch byth am hynny. Mae'n anodd meddwl sut y buasai pethau wedi bod oni bai am ei disgyblaeth hi.

Yn ogystal â hynny, fe fu newid arall yn fy mywyd. Canolbwynt bywyd i Eirlys a'i thad a'i mam oedd y capel. A'r capel hwnnw oedd Penuel – capel y Bedyddwyr ym Mangor. Roedd Edward Owen, ei thad, yn ddiacon uchel ei barch yno ac Annie Owen, ei wraig, yn weithgar ymhob agwedd o waith yr eglwys, ac roedd Eirlys ei hun yn athrawes Ysgol Sul ac yn organyddes yn y capel. Roeddwn innau wedi fy nghael fy hun yn aelod o'r teulu hwn a wnes i ddim gwrthryfela. Penderfynais yn union mai fy nyletswydd oedd ymdaflu i'r gymdeithas newydd hon.

Gan fod Penuel yn eglwys gaeth gymunol o dan weinidogaeth y Parchedig G. R. M. Lloyd, doedd dim amdani ond gwneud cais i gael bedydd drwy drochiad fel y gallwn fod yn aelod llawn o'r gymdeithas yno. Cyn hynny fe wrthodwyd yr hawl imi gymuno – er bod fy ngwraig a'm mam yng nghyfraith, oedd yn cyd-eistedd â mi, yn cael gwneud hynny. Er 'mod i'n teimlo'n eithaf dig am y sefyllfa wnes i ddim protestio, dim ond plygu i'r drefn. Oedd, roedd y Gwilym Owen penstiff wedi newid, ond y parch oedd gen i at Eirlys oedd yn bennaf gyfrifol am hynny, mae'n debyg. A wyddoch chi beth? Fe ddechreuodd yr olwyn droi go iawn, ac ar ôl cyfnod tywyll a diobaith, fe ddaeth goleuni o sawl cyfeiriad.

Bu Eirlys a minnau'n llawenhau pan anwyd merch inni. O'r munud cyntaf y daeth Eleri i'r byd roedd bywyd yn gwbl wahanol ac roedd Taid a Nain Bangor a Thaid a Nain Llannerchymedd wrth eu boddau. Yn fuan ar ôl ei geni fe gefais innau swydd go iawn am y tro cyntaf erioed. Wn i ddim pam y penderfynais geisio amdani ond rywsut teimlwn fod gen i ddigon o adnoddau i ymgymryd â'r gwaith o fod yn Warden ac Arweinydd Ieuenctid i Bwyllgor Addysg yr hen Sir Gaernarfon, ar Stad Maesgeirchen ger Bangor.

Cefais alwad am gyfweliad yn y Ganolfan o flaen criw o gynghorwyr sirol a threfol. Roedd 'na bedwar yno yn cael eu holi, a doeddwn i ddim yn obeithiol. Ond ar derfyn cyfarfod hirfaith dyma'r Trefnydd Ieuenctid Sirol yn fy ngalw i mewn, a'r Cadeirydd, y Cynghorydd Elsie Chamberlain, yn fy hysbysu eu bod yn cynnig y swydd i mi.

Cyn gadael mi gefais air hefo fy mos newydd, y tro cyntaf erioed imi'i gyfarfod – neb llai nag Ifor Bowen Griffith. Gair byr iawn oedd o. Llongyfarchiadau ac ati, a dweud y byddwn i'n cael llythyr o'r Swyddfa yng Nghaernarfon ymhen ychydig ddyddiau ac y byddai disgwyl imi gychwyn ar y gwaith fwy neu lai ar f'union. Oedd hynny'n iawn? Roeddwn yn falch o gadarnhau ei fod. Ysgydwodd I.B. fy llaw a dweud, 'Mi fydd di'n olreit, wsti.' Ac roedd o'n iawn, wrth gwrs, fel roedd o'r rhan fwyaf o'r amser. Neidiodd i'w gar a diflannodd – a chroesais innau'r ffordd i ddisgwyl am fws i fynd adref hefo'r newydd da. Os ydw i'n cofio'n iawn, dydw i ddim yn credu i mi weld I.B. ym Maesgeirchen am o leiaf flwyddyn wedyn. Fe ddaeth hi'n amlwg i mi o'r cychwyn cyntaf nad oedd o'n ddyn oedd yn credu mewn cadw ci a chyfarth ei hun.

Roedd y cyfnod hwnnw yn un hapus iawn. Nid bod y gwaith yn rhoi llawer o gyfle i mi gymdeithasu. Roedd galw arnaf i weithio dau sesiwn y dydd, bum diwrnod yr wythnos – pump o'r rheiny rhwng chwech a deg o'r gloch bob nos – ond yn ystod y dydd, roedd gen i'r rhyddid i weithio naill ai'r boreau neu'r pnawniau.

Fel yr aeth yr amser yn ei flaen roedd hwnnw'n drefniant hwylus iawn, oherwydd fe ddaeth mwy a mwy o waith darlledu i'm rhan. Roeddwn i'n cael cyfle i ddarlledu i ysgolion mewn cyfresi oedd yn parhau am wythnosau ymhob tymor ysgol. Fe gefais lawer iawn o waith gan Ruth Price, pan oedd hi'n gofalu am raglenni plant ym Mangor. Yn wir, mae gen i ddyled fawr bersonol iddi hi oherwydd y hi, yn anad neb, a roddodd imi'r hyder i gredu y gallwn ddarlledu'n effeithiol. Nid ei bod hi erioed wedi fy nghanmol na dim arall – dim ond ei bod hi'n siarad hefo fi fel person yr oedd ganddi hyder ynddo. Bu ei dull o gynhyrchu o gymorth mawr i mi a mawr yw fy niolch iddi.

Yn y cyfnod yma hefyd y penderfynais roi cynnig ar ysgrifennu sgriptiau byrion ar gyfer y radio, ar gyfer rhaglenni boreol fel *Trem* a *Cywain* a oedd o dan ofal W. R. Owen yn Abertawe. Roedd yr ymarferiad hwnnw'n werthfawr ac yn brofiad arbennig ar gyfer sgriptio newyddiadurol gyfryngol.

Roedd gen i gefnogwr cadarn ar y pryd ym mherson pennaeth y BBC ym Mangor, y Dr Sam Jones, a oedd yn frenin y Gorfforaeth y Mangor. Roedd o hefyd yn un o bileri'r achos Bedyddiedig ym Mhenuel, Bangor, a byddai'n rhoi gair o gyngor i mi ambell fore Sul – awgrymu y dylwn ddatblygu fy steil bersonol fy hun a bod yn anturus fentrus yn fy null o roi pin ar bapur. Roedd y doethur o Glydach yn barod iawn i symbylu rhywun yr oedd o'n credu fod ganddo rywbeth i'w ddweud. Nid ei fod o bob amser yn fodlon cytuno â rhai pethau a ddywedwn (a fyddai o ddim yn brin o ddweud hynny'n gwbl blaen) ond roedd ganddo ddiddordeb mawr yn fy ngwaith ymhlith pobl ifanc Maesgeirchen. Gofynnodd imi sgwennu llith ar gyfer *Wedi'r Oedfa*, rhaglen yr oedd yn meddwl y byd ohoni, ac ar ôl iddo ddarllen honno fe gefais wahoddiad o Gaerdydd i ymddangos ar raglen deledu *Clwb yr Ifanc*. Cefais gyfweliad gydag Alan Protheroe, ac er ei bod hi'n hwyr iawn y nos fe gafodd y sgwrs ymateb rhyfeddol.

Roeddwn i'n mwynhau fy ngwaith ym Maesgeirchen. Roedd tua chant a hanner o aelodau ifanc rhwng pedair ar ddeg a phump ar hugain oed yn mynychu'r Ganolfan ar wahanol nosweithiau – er, efallai, mai'r noson gym-deithasol ar nos Wener pan oedd y recordiau roc a rôl yn diasbedain dros y stad oedd y noson fwyaf poblogaidd.

Wrth gwrs, byddai pobl yn gofyn sut brofiad oedd o i fyw a bod ymhlith y criw ifanc ar y stad dai anferth yma, ac roeddwn i'n gallu ateb yn gwbl onest – profiad ardderchog, pleserus ac anturus. Roedd mwyafrif llethol y criw ifanc yn ymateb yn gwbl ddoeth a chall i reolau'r Ganolfan. Fe allwn gyfrif ar fysedd un llaw sawl gwaith y cefais i drafferth disgyblaeth, a hyd yn oed pan oedd hynny'n digwydd gydag ambell unigolyn fe allwn i ddibynnu ar y mwyafrif i'm cefnogi a'm cynorthwyo.

Roeddwn i'n ffodus hefyd fod gen i gydweithwyr ardderchog ar y stad. Dau gyfaill a oedd yn gyd-fyfyrwyr â mi i gychwyn: y Parch. E. Trefor Jones, a oedd gyda'r Eglwys yng Nghymru, bachgen addfwyn a thyner o Flaenau Ffestiniog a oedd yn aelod o griw cyflwyniad cyntaf *Llewelyn Fawr* gyda Chymdeithas Ddrama

Gymraeg Coleg Bangor, a'r llall oedd yr arian byw o weinidog gyda'r Presbyteriaid, y Parchedig Dafydd Hughes Parry, un yr oedd ei ymroddiad i'w waith yn anhygoel. Fe fu cael eu cwmni a'u cymorth nhw'u dau o werth mawr i mi.

Eraill a ddefnyddiai'r Ganolfan oedd yr ymwelwyr iechyd. Y seren ymhlith y rheiny oedd Nyrs Martha Jones, person oedd wedi'i chreu ar gyfer gweithio ymhlith pobl Maesgeirchen. Roedd hi'n wraig cwbl ddiflewyn ar dafod ac roedd yna barch mawr iddi ymhlith mamau ifanc y stad. Doedd dim yn peri pryder iddi.

Dim ond un waith erioed y gwelais i hi'n gofyn am gymorth. Bore Mawrth ar ôl gwyliau'r Pasg oedd hi, a doedd hi ddim wedi bod wrth ei gwaith ers y dydd Iau cynt. Cyn gynted ag iddi gyrraedd ar y bore Mawrth, dyma gnoc ysgafn ar y drws. Minnau'n ei agor a dau blentyn bach, merch a bachgen, yn gofyn am ddau din o *National Dried Milk*. Galw ar Nyrs Jones a hithau'n dod yno ac yn gofyn i'r plant beth ddigwyddodd i'r pum tin mawr a gafodd y teulu bnawn Iau cynt?

'*Don't know, miss,*' oedd yr ateb.

'*You go home. I'll come to the house,*' oedd ateb Nyrs Jones. Gynted a bod y drws wedi'i gau dyma hi'n gofyn, 'Ddowch chi hefo fi?' Roedd hi'n amlwg ofn y croeso posibl. Dyma ddweud y baswn i'n mynd gyda hi.

Cyrraedd y drws a churo'n ofnus. Y ddau fach yn ateb, a merch tua naw oed hefo nhw.

'*Are your parents in?*' gofynnais.

'*No, they've gone on the bus,*' oedd yr ateb.

'*Why do you want more "National Dried Milk" today,*

when your mother had five tins last Thursday?' gofynnodd y Nyrs.

Yn sydyn, dyma hogyn bach arall yn ymddangos o rywle.

'I'll show you now, sir,' medda fo. *'Come in.'*

A dyma Nyrs Jones a finnau'n dilyn y criw drwodd i'r iard gefn a chlwt o ardd. Yno roedd yna'r ddau oen bach dela welsoch chi erioed yn prancio'n braf.

'The lambs want food, sir,' meddai eto.

Allai Nyrs Jones a minnau wneud dim ond chwerthin yn wyneb gonestrwydd y bychan. Fe ymddengys mai dau o frodorion Mynydd Bangor oedd y dywededig ŵyn hyd ddydd Mercher yr wythnos cynt, ond rywsut roeddan nhw wedi'u canfod eu hunain yn yr ardd arbennig hon – gyda help rhywun, mae'n siŵr.

Roedd Nyrs Jones a minnau yn gytûn fod yr achos yn ddigon cryf i gyflwyno i'r teulu ddau din ychwanegol o'r cyfryw bowdwr llaeth yn rhad ac am ddim – jyst rhag ofn mai'r babis ar yr aelwyd fyddai'n dioddef. Mae'n debyg fod y Nyrs wedi rhoi gwybodaeth i'r Heddlu am y ddau westai bach oedd yn yr ardd – mae'n debyg, hefyd, na chafodd y teulu gig oen cartref i ginio yr haf hwnnw.

O sôn am yr Heddlu, roeddwn i'n lwcus fod yna blismon go arbennig yn gofalu am Faesgeirchen bryd hynny. Un o fechgyn gogledd Môn oedd Tom Lynes, ac roedd o'n gweithredu ei bolisi deallus ei hun. Byddai'n galw heibio'r Ganolfan yn rheolaidd ond, wedi imi ofyn iddo beidio gwisgo'i lifrai pan fyddai'n dod, roedd o'n barod iawn i alw i'n gweld yn ei ddillad ei hun.

Roedd hi'n werth ei weld o'n trin a thrafod yr unigolion mwyaf anystywallt yn y lle. Ie, cymeriad arbennig oedd Tom ac roeddwn i'n falch iawn o'i gyd-weithrediad ar bob achlysur.

Fe'i dilynwyd o gan gymeriad arbennig arall, sef Ken Owen a hanai o ardal Garndolbenmaen – plisman ardderchog, ac un oedd yn credu mewn cyfraith a threfn go iawn. Yn ei dro daeth Ken yn un o blismyn mwyaf effeithiol Gogledd Cymru ac mae 'na chwedlau amdano pan oedd o'n teyrnasu yn nhref Y Rhyl. Fe adawodd Ken ei farc ymhob man lle bu'n gweithio.

Ond i ddod yn ôl at y gwaith hefo'r bobl ifanc. Roedd hi'n amlwg o'r diwrnod cyntaf nad oedd gan Bwyllgor Addysg yr hen Sir Gaernarfon fawr o ddiddordeb mewn cynnal gwasanaeth credadwy i bobl ifanc. Doedd dim posib cael adnoddau priodol i gynnig cyfleon i'r ieuenctid ddatblygu. Roedd gofyn am unrhyw beth a olygai unrhyw gost ychwanegol yn debyg o gael yr ateb, 'Na!' Y teimlad a gefais i oedd mai'r cyfan oedd angen imi'i wneud oedd cadw'r olwyn i droi a pheidio achosi unrhyw broblem o gwbl. Ac er fy mod i weithiau'n credu fod peth o'r bai'n disgyn ar ysgwyddau Ifor Bowen Griffith fel Trefnydd Ieuenctid, roedd hi'n dod yn fwy a mwy amlwg ei fod yntau yn yr un sefyllfa rwystredig ag yr oeddwn innau, felly taw oedd pia hi.

A dweud y cyfiawn wir, fe ellid dadlau mai Cyngor Sir Gaernarfon oedd yr awdurdod mwyaf adweithiol o blith holl gynghorau Cymru yn y pump a'r chwedegau. Yn sicr, doedd gan y cynghorwyr a'r henaduriaid oedd yn gyrru'r drol ddim diddordeb o gwbl yn y garfan o bobl oedd yn byw ar stadau tai fel Maesgeirchen. Ac roedd yr agwedd yn peri i'm gwaed i ferwi.

Roedd gweld yr arian mawr oedd yn cael ei wario ar y

pryd i godi clamp o adeilad mawr newydd fel mangre cyfarfod i fyfyrwyr y Brifysgol ym Mangor, gyda phob cyfleuster posibl ynddo, yn ddigon i greu diflastod ymhlith yr aelodau yng Nghanolfan Maesgeirchen. Y cyfan oedd yn cael ei gynnig iddyn nhw oedd cilcyn o gwt drafftiog, dau fwrdd tennis, bwrdd snwcer oedd wedi gweld dyddiau gwell a pheiriant chwarae recordiau.

Doedd ryfedd, yn y sefyllfa 'ni a nhw' hon, bod y criw ifanc lleol weithiau'n gwrthryfela ar strydoedd Bangor ac yn eu cael eu hunain mewn trafferthion gyda'r heddlu lleol. Yn wir, fe fu gen i le i gredu ar fwy nac un achlysur fod byw ym Maesgeirchen yn ddigon o reswm yn aml i ambell blismon ifanc yn y ddinas fynd allan o'i ffordd i ganfod esgus i fynd ag ambell i fachgen i'r ddalfa.Fe awgrymais hynny i un uchel-swyddog ar y pryd, ond rhybudd pendant a gefais i i fod yn ofalus neu fe allwn fy nghael fy hun mewn dyfroedd dyfnion.

Ond, wedi'r cyfan, bu fy nghyfnod ar y stad yn un digon hapus ac mae llawer o'r bobl ifanc oedd yn aelodau bryd hynny yn dal i'm cyfarch ar strydoedd Bangor. Mae hynny'n brofiad pleserus iawn.

Fe ddefnyddiais y cyfnod hefyd i ehangu gorwelion fy mhrofiad yn y maes. Ceisiais sefydlu corff i gydweithio yng ngogledd Sir Gaernarfon – gyda chydweithrediad cydweithiwr amser llawn, Dewi Parry Jones, oedd yn Warden Canolfan Llandudno. Fe lwyddwyd i ffurfio Cymdeithas o Arweinyddion yn yr ardal, gyda chyfeillion rhan amser yn dod at ei gilydd unwaith y mis i drefnu gweithgareddau ar y cyd, gan gynnwys chwaraeon, cwisiau ac eisteddfod. Yn un o'r eisteddfod-au hynny y gwelais dalent arbennig Tammy Jones, o glwb bach Llandegai, am y tro cyntaf erioed. O dipyn i beth roedd yna arwyddion o fywiogrwydd newydd ymhlith yr aelodau a chyfle i'r arweinyddion hefyd deimlo'u bod nhw'n aelodau o dîm o weithwyr oedd yn anelu at yr un nod.

Ar ôl cyfnod o dair blynedd, fe ddigwyddodd rhywbeth annisgwyl tua Chaernarfon. Penderfynodd y Pwyllgor Addysg fod angen Trefnydd Ieuenctid Cyn-orthwyol yn y sir i gydweithio ag Ifor Bowen Griffith i gadw golwg ar y gwasanaeth o Landudno i Aberdaron. Cafodd y swydd ei hysbysebu a phenderfynais y byddwn yn ymgeisio amdani. Cefais wahoddiad i fynd am gyfweliad i Gaernarfon o flaen y Pwyllgor Ieuenctid ar ddiwrnod arbennig.

Y pnawn cyn y digwyddiad hwnnw, dyma gael galwad ffôn gan Ifor Bowen Griffith y bos. Byrdwn ei neges oedd dymuno'n dda imi'r diwrnod wedyn ond hefyd dweud ar yr un pryd ei fod o'n gorfod cefnogi cais Dewi, Warden Canolfan Llandudno, oherwydd fod gan Dewi fwy o brofiad yn y maes – ond y gwnâi'n sicr y byddwn i'n cael cynnig symud i Landudno i olynu Dewi.

'Mae'n well gen i fod yn gwbl onest efo ti ymlaen llaw,' medda fo.

Dyma droi am Gaernarfon y bore canlynol a chael mynd yn y car hefo Dewi Parry Jones. Ddaru'r naill na'r llall ohonom ddim trafod y penodiad o gwbl – dim ond dymuno'r gorau i'n gilydd cyn mynd i mewn i Neuadd y Sir.

Roedd pedwar ohonom yno, gan gynnwys y dramodydd a'r cyfaill annwyl, y diweddar Gwenlyn Parry, a oedd ar y pryd yn athro yn Ysgol Dyffryn

Ogwen, Bethesda. Roedd gennym dri chwestiwn i'w ateb ac aeth pob un ohonom i mewn yn ei dro i ddweud ei ddweud o flaen yr Henadur Ffowc Williams, Llandudno a'i bwyllgor o ryw ddwsin o gynghorwyr. Digon byr fu fy mhregeth i ar bob cwestiwn ond, er syndod, fe gefais amryw gais i ymhelaethu gan ambell gynghorydd. Doeddwn i ddim yn sicr ai peth da ai peth drwg oedd hynny. Beth bynnag, roedd I.B. wedi'm llwyr berswadio y diwrnod cynt sut yr oedd pethau'n mynd i fod.

Gwenlyn oedd yr olaf i fynd i mewn, ac wedi iddo ddod yn ôl cawsom orchymyn i aros yn yr ystafell tra byddai'r pwysigion yn penderfynu. Byr iawn fu'r arhosiad. Fe ddaeth y Clerc Pwyllgor, O. T. Jones, yn ôl a dweud yn ei ffordd ffwrbwt ei hun, 'Mr Owen, ddowch chi i mewn i gyfarfod y pwyllgor?'

Doeddwn i ddim yn sicr beth oedd yn digwydd ond sylwais ar I.B. oedd â gwên fawr ar ei wyneb. Cododd ei fawd arnaf a chododd y Cadeirydd i ysgwyd fy llaw a dweud eu bod yn cynnig y swydd i mi. Wyddwn i ddim beth i'w ddweud ond fe lwyddais i ddweud 'Diolch yn fawr', a chododd y criw i adael. Mae'n amlwg eu bod ar frys i gael cinio yn y ffreutur.

Cyn iddo fo fy ngadael, ac ym mhresenoldeb y Trefnydd Ieuenctid, dyma Ffowc Williams yn yngan y geiriau yma:

'Rwyt ti wedi cael y swydd ora yn y Cyngor Sir 'ma,' medda fo.

'Pam?' meddwn innau.

'Wel, ti fydd yn helpu I.B. i wneud dim.'

Ac i ffwrdd â'r ddau gan chwerthin yn braf, tra roedd yn rhaid i mi deithio'n ôl i Fangor yng nghwmni Dewi, oedd yn sicr o fod yn ŵr siomedig iawn. Ond, o'r bore hwnnw, fe fu Dewi'n gwbl fonheddig rasol ac yn gwbl barod hefyd i gydweithredu â mi ar bob achlysur. Mae gen i barch mawr tuag ato a lle i fod yn ddiolchgar iddo.

Dyma gyfnod newydd arall, felly, yn cychwyn yn fy hanes. Cyfnod a fyddai'n newid cwrs fy mywyd yn gyfan gwbl.

Efo 'Nhad – y tro cyntaf o flaen camera. Llun sy'n dangos ei oed!

Mam ger drws Glan Rhyd. Efo hi yma mae Eirlys, Eleri a Blodwen, un arall o'i hwyresau (ar y chwith).

Aduniad diweddar o dri ar ddeg allan o'r hanner cant a aeth i Ysgol Ramadeg Llangefni yn 1943.
Wrth f'ochor (yn y rhes gefn) mae J. O. Roberts, ffrind ysgol a chyfaill oes.

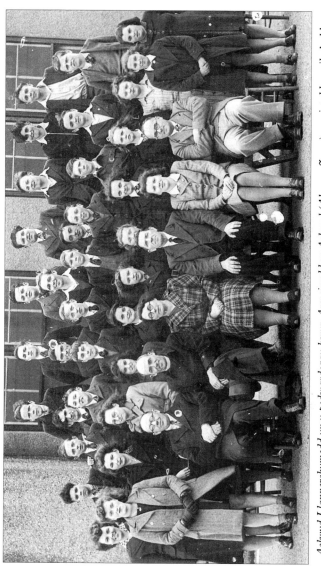

Aelwyd Llannerchymedd yn y pedwardegau hwyr. Arweinydd yr Aelwyd (Alwena Jones) yn eistedd yr ail o'r dde, a minnau ar y chwith eithaf yn y rhes ôl.

Efo dau gyfaill o'r Llu Awyr yn Gutersloh yn yr Almaen, 1954.

Edward ac Annie Owen, fy rhieni yng nghyfraith.

Eirlys a minnau ar ddiwrnod ein priodas.

Swyddogion Capel Penuel, Bangor, yn croesawu'r Parchedig Ifor Williams (pumed o'r dde) fel gweinidog newydd. Wrth ei ochor, i'r chwith, y mae'r diweddar Barchedig E. Cefni Jones.

Staff y BBC ym Mangor (ac Eirlys yn eu plith) yn ffarwelio â'r Dr Sam Jones.

Eleri, fy merch, yn ddwyflwydd oed.

Y newyddiadurwr Tommy Eyton Jones a minnau ym Mharc Meurig ym Methesda, rywbryd yn y chwedegau cynnar, yn paratoi adroddiadau ar bêl-droed ar gyfer y Radio.

Cyfarfod blynyddol Cymdeithas Dyfarnwyr Pêl-droed Cymru yn 1963, gyda'r gŵr gwadd Jack Clough o Bolton (ar y chwith, yn ysgwyd llaw), un o ddyfarnwyr enwocaf y cyfnod. Dim ond fy mhen i sydd i'w weld, rhwng y pileri ar y dde!

Newydd gael fy mhenodi i ddyfarnu mewn gêm bêl-droed ryngwladol. Yn cadw cwmni imi mae criw o fechgyn ifanc o'r Ganolfan Ieuenctid ym Maesgeirchen (bechgyn ifanc yr oeddwn yn gweithio yn eu mysg fel Warden ac Arweinydd Ieuenctid).

Paratoi i ddyfarnu prawf terfynol Cwpan Pêl-droed y Gogledd ar faes Bangor yn 1964.

F'adroddiad ffilm cyntaf – i raglen 'Y Dydd' o Fangor yn 1964.

Hywel Gwynfryn a minnau yn chwilio am stori ym Machynlleth – efo Byddin Rhyddid Cymru – ac yn methu!

(Chwith uchod):
Holi Syr Ifan ab Owen Edwards yn ei gartref yn Aberystwyth ar y bore y collodd TWW y drwydded i deledu yng Nghymru. Dyn dig a siomedig iawn oedd o y bore hwnnw.

(Chwith isod):
Criw HTV ym Mangor. Efo'n gwragedd, ar ein ffordd i briodas.

Un o uchafbwyntiau bywyd – beirniadu yng Ngharnifal Cwmyglo efo neb llai (neu fwy!) na Mici Plwm.

*Cyfnod byw yn y De inni fel teulu, a chyfnod hapus i Eleri fel disgybl yn
Ysgol Rhydfelen. Uchod ar ei blwyddyn gyntaf (rhes ganol, ail o'r
chwith), ac isod efo criw o gyfeillion yn ystod ei blwyddyn olaf yno
(ail o'r dde yn y cefn).*

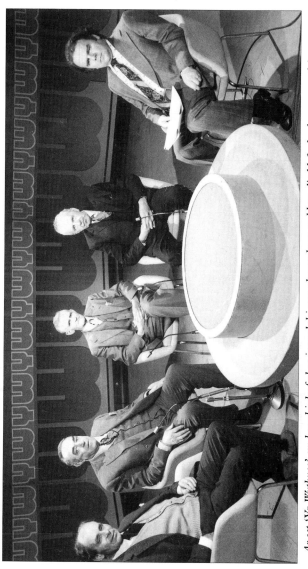

Ar set 'Yr Wythnos', yn barod i drafod yr iawndal i gyn-chwarelwyr oedd yn dioddef o lwch ar yr ysgyfaint – yng nghwmni pedwar o gyn-weithwyr Chwarel Dinorwig (Llanberis). O'r chwith: R. H. Jones, Griffith Pleming, John Evans a J. W. Elis (Perisfab).

Yng nghwmni f'arwr mawr, John Roberts Williams.

Ymgryfhau

Roedd y symud o'r cwt ym Maesgeirchen i'r Swyddfa Addysg yn Stryd y Castell, Caernarfon yn agoriad llygad. Rhannu swyddfa hefo Ifor Bowen Griffith y bûm i am y misoedd cyntaf. Profiad rhyfeddol. Roedd yn amlwg nad oedd o ddim yn hoffi bod yn 'fos'. Doedd o ddim yn rhoi gwaith imi o gwbl nes fy mod i wedi dechrau credu fod Ffowc Wiliams yn gwbl gywir – roeddwn i wedi cael y swydd i helpu I.B. i wneud dim. Ond, yn araf, fe ddeuthum i ddeall ei fod o am imi dorri fy nghwys fy hun. Roedd o am imi fynd allan a chyfarfod y criw oedd yn arwain y Clybiau a dod i'w hadnabod.

Erbyn hyn roeddwn i'n berchen ar gar bach – mini coch – a oedd yn mynd â fi ar deithiau nosweithiol ar hyd a lled sir Gaernarfon. Heno yng Nghonwy, nos yfory yn Nhudweiliog – ac felly y bu hi am y gaeaf cyntaf. Ymweld, dod i adnabod, rhoi help, sefydlu cymdeithasau arweinyddion yng nghanol a de'r sir, cynnal cyfarfodydd misol, trefnu gweithgareddau sirol a hybu diddordeb mewn digwyddiadau cenedlaethol, mynychu cyfarfodydd o bwyllgor sirol Urdd Gobaith Cymru a Mudiad y Ffermwyr Ifanc. Ceisio cael y cyfan i gydweithredu mewn rhai gweithgareddau. Fel ymhob gwasanaeth roedd yna rai mwy cydwybodol na'i gilydd ond, ar y cyfan, roedd y mwyafrif yn rhoi o'u gorau glas am gyflogau hynod o bitw a heb fawr o adnoddau o gwbl.

Roeddwn i, ar ôl blynyddoedd ym Maesgeirchen, yn deall yn iawn pa mor anodd oedd hi i weithio heb ddim help o gwbl. A'r duedd oedd beio I.B. yng Nghaernarfon – ond roeddwn i'n gwybod nad oedd gan y creadur bach obaith perswadio'r cynghorwyr a'r henaduriaid oedd yn rhedeg y sioe.

Pleser mwyaf Cadeirydd y Pwyllgor Cyllid oedd rhoi'i bensil goch drwy bob cais a ddeuai o flaen ei bwyllgor o gyfeiriad Adran y Gwasanaeth Ieuenctid. Mor wahanol oedd hi dros Afon Menai lle roedd fy nghyfaill, Wyn Jones, yn cael pob cymorth gan ei gynghorwyr fel bod ganddo wasanaeth ieuenctid ardderchog ar gyfer pobl ifanc yr ynys. A phan oeddwn i'n mynd i gyfarfodydd Cymdeithas Swyddogion Addysg Bellach a Swyddogion Ieuenctid Cymru, yr un oedd y stori – darlun o siroedd oedd yn ymwybodol iawn o werth gwasanaeth teilwng i bobl ifanc. Y rhain, wedi'r cyfan, oedd trethdalwyr y dyfodol yn y siroedd i gyd. Rhain fyddai'n aros yn eu broydd, yn priodi ac yn magu plant. Fel'na roedd mwyafrif llethol awdurdodau lleol Cymru yn ei gweld hi – ond nid felly Sir Gaernarfon.

Ond roedd ambell lygedyn o oleuni. Roedd yna bobl gyda gweledigaeth ym Mhrifysgol Bangor. Penderfynodd yr Adran Addysg yno drefnu cyrsiau hyfforddi i arweinyddion ieuenctid Gogledd Cymru. Dan arweiniad Mr Hywel Evans, a chyda chymorth y Dr Joe Rogers, Aled Eames a B. L. Davies, fe drefnwyd cyrsiau penwythnos ym Mangor, Prestatyn, Glanllyn a Gregynog. Fe aeth nifer dda o arweinyddion Sir Gaernarfon drwy'r cyrsiau hynny a manteisio'n fawr ar y cyfle.

Roedd bywyd personol y tri ohonom ni hefyd wedi

newid yn syfrdanol. Ar wahân i fedru fforddio car newydd – y mini coch – roedd Eirlys ac Eleri a minnau wedi prynu tŷ yn Stryd Victoria ym Mangor Uchaf, y stryd nesaf i hen gartref Eirlys.

Ond, ynghanol y newid byd, fe ddaeth tristwch pan gollodd Eirlys ei thad yn sydyn ac yntau ond yn 54 oed. Bu hynny'n glamp o ergyd iddi ac roedd Eleri hefyd wedi colli Taid oedd yn meddwl y byd ohoni. Roedd yn fendith ein bod ni'n byw mor agos i'm mam yng nghyfraith. Roedd gen i feddwl mawr iawn ohoni hi, felly doedd dim problem o gwbl.

Yn ychwanegol at hynny, roedd y pedwar ohonom yn cael cynhaliaeth a llawenydd o fynychu Capel Penuel, dan weinidogaeth y Parch. Ifor Ll. Williams. I mi, roedd o – ac y mae o o hyd – yn berson arbennig iawn ac yn fugail gofalus. Mae o'n ŵr o ychydig eiriau ond yn berson diffuant a phendant. Roeddwn i, beth bynnag, yn ei chyfrif hi'n fraint i gael gwneud popeth a allwn i i gynnal ei freichiau, ac roedd yr un peth yn wir am Eirlys a'i mam.

Cefais i ac Eirlys y fraint o fod yn athrawon Ysgol Sul a bûm am gyfnod yn Arolygwr hefyd. Roedd Eleri hithau wrth ei bodd gyda holl weithgareddau'r capel. Roedd rhaid mynd bob bore Sul i ddweud adnod er bod gwrando'r bregeth yn benyd o'r mwyaf iddi. Unwaith, o dan fy nhrwyn, tynnodd ddau neu dri o ffrwythau ffug o het smart y wraig a eisteddai o'n blaenau, heb i honno sylwi. Efallai mai'r rheswm ei bod mor awyddus i fynd i'r capel oedd y byddai'n cael rhywbeth i'w fwyta yn siop bapur Tommy Jones cyn mynd am dro ar y pier!

Yr un oedd fy mhatrwm gwaith yng Nghaernarfon –

dau sesiwn y dydd – felly roedd gen i beth amser i wneud gwaith darlledu ac roedd digon o hwnnw'n dod i'm rhan erbyn hyn. Yn wir, roeddwn i'n rhoi gormod o bwysau arnaf fy hun, ond eto'n mwynhau'r cyfan.

Ar ôl blynyddoedd o ansicrwydd mawr, roedd yr haul yn gwenu. Yr oedd I.B. hefyd yn gwneud llawer o waith darlledu ac roedd rhai newyddiadurwyr yng Nghaernarfon wedi dechrau tynnu sylw at brysurdeb y ddau ohonom. Cyngor I.B. oedd, 'Paid a chymryd sylw o'r diawliaid – gwenwyn ydi'r cyfan.' A dilynais ei gyngor. Wedi'r cyfan, dim ond ar y radio roeddwn i, ar wahân i ambell gyfweliad i Teledu Cymru a chymryd rhan mewn ambell rifyn o *Campau* (rhaglen hwyrol iawn pan oedd pob henadur a chynghorydd crintchlyd yn ei wely, gobeithio).

Beth bynnag am hynny, dyma I.B. yn ôl i'r swyddfa un prynhawn a gofyn imi sut faswn i'n hoffi cyflwyno eitem newyddion ar gyfer y rhaglen *Heddiw*.

'Wyt ti'n gweld,' medda fo, 'mae'n rhaid i mi fod yn y Swyddfa 'ma fory. Wnei di gymryd fy lle i?'

'Iawn,' medda fi, 'ond eitem ar beth ydi hi?'

'Paid â phoeni,' oedd yr ateb. 'Dos i'r BBC ym Mangor heno ac fe wnaiff William Aaron, y cyfarwyddwr ifanc disglair, esbonio'r cwbl iti.'

Ffwrdd â fi, felly, erbyn chwech o'r gloch – cyflwyno fy hun i'r Bonwr Aaron, a hwnnw'n fy ngwadd i fynd hefo fo yn ei gar i orsaf y Llu Awyr yn y Fali. Yno, cyfarfod â swyddog Seisnig hefo mwstas mawr du a hwnnw'n mynd â ni i ystafell a elwid yn *Briefing Room*. Doedd neb yn dweud dim wrtha i – hefo Mr Aaron yr oedd y mwstas yn siarad.

84

Dyna lle'r oedd y ddau yn pwyntio ac yn edrych ar fap mawr nad oedd yn golygu dim i mi. Ond mi ddaru un frawddeg fy hitio i fel bwlet, a dyma hi: *'We'll drop the live bait there,'* meddai'r mwstas – ac roedd Mr Aaron yn hapus. Troi'n ôl am Fangor, a gorchymyn i mi fod yn y Fali erbyn naw o'r gloch y bore dilynol. Ac fe euthum, fel oen i'r lladdfa.

Cefais f'arwain i ystafell newid, a'm cyflwyno i siwt rwber o'm corun i'm sawdl. Fe'm harweiniwyd allan lle roedd dynion yn barod i chwistrellu galwyni o ddŵr drosof. Yna daeth hofrennydd o rywle â dyn camera ynddi, ac fe gefais fy ffilmio – yn wlyb fel sbangi – yn cael fy nghodi a'm gollwng i mewn ac allan o'r hofrennydd. Yna fe godwyd y dyn camera a minnau ac fe ollyngwyd y dyn camera a minnau. Eisteddais yng nghornel yr awyren fel petawn yn hanner marw ac fe gymerodd yr holl syrcas yna bron i ddwy awr a hanner. Erbyn hyn, roeddwn yn dechrau deall pam fod I.B. wedi dewis aros yn ei swyddfa y diwrnod hwnnw – ond roedd gwaeth i ddod.

Ar ôl cinio nas bwyteais, aethom yn griw i Soldier's Point ger Caergybi. Yno, roedd cwch yn disgwyl amdanom ac erbyn hyn roeddwn yn gwisgo siaced achub hefo'r siwt rwber. Allan â ni i'r môr a gofynnwyd i mi eistedd â'm cefn at y camera yn wynebu'r môr.

Yn sydyn, cefais hergwd nes roeddwn dros yr ochr ac yn y môr dros fy mhen. Roeddwn mewn panic llwyr. Alla i, ac allwn i, ddim nofio. Roeddwn fel dyn gwyllt yn ymladd â'r tonnau, ac yn amlwg yn rhoi'r union luniau yr oedd Mr Aaron am eu cael. Yn sydyn, cofiais am frawddeg y mwstas y noson cynt – *'We'll drop the live bait here.'* Y fi oedd y *'live bait'* ac roeddwn i'n galw I.B. yn bob enw dan haul.

Mi fûm i yn y dŵr am hydoedd nes, o'r diwedd, y daeth y cwch at f'ochr. Rhoddwyd oriawr imi'i gwisgo a gofynnwyd imi edrych arni a dweud rhywbeth fel hyn yn syth i'r camera:

'Dwi yn y dŵr ers meityn – sgwn i pa mor hir fydd hi cyn i'r hofrennydd ddod i'm hachub i?'

Yna clywais sŵn awyren. Gadawodd y cwch fi, ond bu'r hofrennydd yn hofran am ychydig funudau cyn i un o'r dynion ddod i lawr ataf i'r môr a'm codi'n araf a mynd â mi'n ôl i'r Fali. Roedd yn rhaid aros yn fanno tan y deuai'r criw camera a Mr Aaron yn ôl, a minnau i ddweud rhyw air neu ddau arall am f'antur fel *'live bait'* ar ran fy mos Ifor Bowen Griffith.

Ond chwarae teg iddo fo, bu'r eitem honno'n gyfrwng i agor y drws i mi i fyd newyddiaduraeth deledu. Cefais gynnig wythnos o ffilmio gyda'r rhaglen *Heddiw*, ac yna'n sydyn fe ddaeth cynnig i mi baratoi ambell eitem i raglen newydd ddyddiol TWW, *Y Dydd*. Mae'n amlwg fod y cynhyrchydd, Owen Roberts, yn hapus gyda'm hymdrechion oherwydd fe gynigiodd o leiaf ddwy eitem yr wythnos i mi, ar yr amod nad oeddwn yn gweithio i'r BBC a'r rhaglen *Heddiw*.

Pendefynais dderbyn, ond rywfodd fe ddaeth fy mhenderfyniad i glustiau Dr Sam Jones ac roedd o'n barod amdanaf y bore Sul wedyn.

'Peidiwch troi at Deledu Mamon,' medda fo, 'dyn y BBC ydach chi.'

Esboniais i mi gael cynnig na allwn ei wrthod a chefais ryw fath o faddeuant.

Nid dwy eitem yr wythnos oedd hi cyn hir – roeddwn i allan yn rhywle'n ddyddiol bron. Weithiau'n cael eitem eithaf da, dro arall yn gwastraffu amser yn llwyr.

Roedd 'na un cysur. Nid fi oedd yn canfod yr eitemau – gwaith yr ymchwilwyr oedd hynny. Pobl fel Wil Rees, Gwilym Tudur a Deryk Williams – triawd hynod dalentog yn eu ffyrdd eu hunain, ond nid bob amser yn gwbl effeithiol. Do, fe gefais i ambell daith seithug yn y mini coch, diolch i'w diwydrwydd nhw. Ar y llaw arall, mae'n deg cyfaddef iddyn nhw ffendio ambell berl.

Roedd yna ambell berson arall yn pysgota am syniadau – pobl fel John Thomas, y newyddiadurwr ar Ynys Môn, a Selwyn Griffith o Fethel, a oedd yn giamstar ar gael gafael ar siaradwyr diddorol. Fe fu Selwyn yn fawr ei gyfraniad hunanliwtiol i raglenni HTV a TWW am flynyddoedd maith. Roedd o bob amser yn gwbl ddibynadwy ac yn fodlon troi allan ar fyr rybudd – rhywbeth a oedd yn gwbl hanfodol wrth wasanaethu rhaglenni fel *Y Dydd* ac, yn ddiweddarach, *Yr Wythnos*.

Ar lefel bersonol, fe fu'n rhaid gwneud un dewis go anodd. Roeddan ni'n byw yn Stryd Victoria a reit rownd y gornel roedd Ysgol Gynradd Cae Top. Yn dair a hanner oed roedd Eleri'n barod i gychwyn mynd i'r ysgol. Roedd Eirlys (a oedd yn gyn-ddisgybl yn Cae Top) yn fawr ei pharch o'r prifathro a'r staff oedd yno – yn ddigon teg hefyd – ac roedd ei mam yn cytuno â hi. A bod yn gwbl onest, doedd gen innau ddim beirniadaeth ar y lle chwaith. Roeddwn wedi gweld dawn y Dr R. J. Evans, y prifathro, gyda chôr yr ysgol mewn nifer o ddar-llediadau gan gynnwys y cynhyrchiad mawr *Wil Six* –

ond rywsut, allwn i ddim bod yn hapus. Roeddwn i am i Eleri fynd i Ysgol Gymraeg St. Paul's yng nghanol y dref. Ac ar ôl cryn drafod, a chael cefnogaeth y Parchedig Ifor Williams, felly y bu hi. Ac roedd pawb yn hapus.

Yn 1964, fe gefais i hefyd glamp o sioc. Fe ddigwyddodd rhywbeth cwbl annisgwyl. Doeddwn i ddim wedi bod yn aelod yng Nghapel Penuel ond am bum mlynedd, a'r peth olaf yr oeddwn i'n ei ddisgwyl oedd y byddai'r aelodau yn f'anrhydeddu. Beth bynnag am hynny, roedd angen tri diacon newydd ym Mhenuel a daeth noson yr etholiad.

Pan gyhoeddwyd y canlyniad roeddwn i'n gegrwth. Y tri a ddewiswyd oedd Syr Ben Bowen Thomas, Edward Rees, Prifathro'r Coleg Normal a minnau. Allwn i ddim coelio'r peth, ac rydw i'n gwybod i'r canlyniad fod yn sioc ac yn siom i amryw. Fe gymerodd un aelod blaenllaw'r penderfyniad at ei galon a dangos hynny hefyd – wel, i mi, beth bynnag.

Mae'r noson honno a'r penderfyniad hwnnw gan bobl dda Penuel ar y pryd yn rhywbeth a drysoraf am weddill fy mywyd. O gofio nad ydw i bellach yn mynychu capel o gwbl efallai fod hynny'n anodd i'w gredu, ond mae'n gwbl wir. A phwy ŵyr na allai pethau newid eto! Cawn weld! A deud y gwir, mae geiriau'r diweddar annwyl T. M. Bassett, fy nghyn-athro Ysgol Sul, y tu allan i Safeways ym Mangor ychydig fisoedd cyn ei farw, yn dal i atsain yn fy nghlustiau: 'Pam na ddowch chi'n ôl i Benuel, Gwilym?' medda fo. 'Mae 'na groeso i chi, cofiwch.' Mae hi'n ddeugain mlynedd y flwyddyn nesaf ers pan roddodd yr eglwys eu pleidleisiau i mi. Gallai fod yn flwyddyn briodol i fynd yn ôl i'r gorlan.

Ond, yn ôl yn y chwedegau, roedd fy`mhrysurdeb yn parhau. Y gymysgedd barhaus o waith y gwasanaeth ieuenctid, gwaith radio a gwaith teledu. Y swyddfa yng Nghaernarfon, y stiwdios ym Mryn Meirion a Neuadd y Penrhyn, a'r teithio dibendraw gyda Jack James a Gareth Owen, y dynion camera; Mike Greenhalgh, y gŵr sain ac Alan Studholme, y trydanwr. Mae gen i ddyled fawr i'r pedwar yna – oherwydd yn y dyddiau cynnar hynny roeddwn i'n gwbl ddibynnol arnyn nhw am arweiniad o safbwynt technoleg ffilmio. Oni bai amdanyn nhw fe fyddai pethau wedi mynd yn ffradach lawer gwaith. Roeddan nhw'n griw hwyliog iawn i weithio hefo nhw – Jack â'i syniadau cwbl anymarferol am fywyd, Mike â'i hiwmor sych, Alan mor dwt, glân a threfnus a Gareth yn ifanc, llawn triciau ac yn cael trafferth mawr i adael ei wely yn y bore.

Fe fuon ni'n gweithio ar bob math o straeon – llawer iawn o 'Vox Pops' ar strydoedd Caernarfon, Llangefni, Dolgellau a Dinbych. Holi barn pobl a phawb yn barod iawn i ddweud eu dweud. Dyna hyfryd oedd hi bryd hynny – cael ymateb parod pobl a hynny mewn Cymraeg rhywiog braf. Mor wahanol ydi hi heddiw.

Ond roedd ambell dro trwstan, fel ar y bore hwnnw ar Stad Maes Barcer yng Nghaernarfon. Paratoi eitem ar Gapel Noddfa yr oeddwn i ac yn holi'r trigolion a oeddan nhw'n debyg o fynd yno i addoli. Roedd un wraig go nobl newydd ddod i lawr o fws deulawr ac yn llwythog, chwyslyd ar ôl bod yn siopa. Dyma fi ati cyn iddi gael ei gwynt ati a gofyn iddi, gyda'r camera'n troi,

'Fyddwch chi'n mynd i'r capal newydd 'ma?'

'Na fydda siŵr,' medda hi. 'Dim ond yr un rhai a wela

i yn pybs nos Sadwrn fydd 'no. *By the way*, oes 'na fags i gâl am hyn?'

'Nag oes,' medda finnau.

'Stwffia'r meic 'na i dy dîn 'ta co,' medda hi gan fy ngadael i yn fy maw ar ochr y stryd.

Ie, lle da fu Caernarfon erioed am atebion gwreiddiol. Caf sôn am eraill yn nes ymlaen.

Roedd cyfarfod pobl go iawn bob amser yn bleser ond roedd ochr arall i'r geiniog. Roedd rhywun yn gorfod ymwneud â phobl hunanbwysig a hunandybus hefyd ac yn ystod y cyfnod cyntaf hwnnw fe gefais un profiad arbennig.

Fe drefnais i fynd i holi'r bardd R. S. Thomas, oedd ar fin teithio i America i dderbyn gwobr bwysig am un o'i gyfrolau. Ar y pryd roedd o'n ficer Eglwys fach ger Machynlleth. Cael sgwrs sychlyd iawn ar y ffôn hefo fo. Oedd, roedd o'n fodlon i mi ddod i'w holi ond roedd yn rhaid bod yno'n brydlon am chwarter i naw y bore canlynol – roedd ganddo ddiwrnod prysur o'i flaen, felly roedd cadw at y trefniant yn gwbl hanfodol.

Cyrhaeddodd y criw a minnau yno'n brydlon y bore wedyn. Curo'r drws a'r Parchedig yn ymddangos fel petai newydd godi o'i wely.

'Pwy ydach chi?' medda fo.

Esbonio'r trefniant iddo, yntau'n gwadu'r cyfan. Roedd cyfweliad bryd hynny'n amhosib. Roedd o angen twtio'r ardd y diwrnod hwnnw.

'Dowch yn ôl am dri y pnawn 'ma. Fe gawn ni weld be allwn ni wneud bryd hynny,' medda fo.

Ac felly bu'r pump ohonom yn sefyllian ym Machynlleth am chwe awr cyn mynd yn ôl i'w holi – a chael eitem ddigon dienaid yn y diwedd. Dydi o ddim yn syndod na fu'r honedig arwr Cymraeg yn ffefryn gen i. Ddeuda i ddim mwy!

Ar ôl ychydig dros ddwy flynedd o redeg a rhuthro a cheisio cadw tair pêl yn yr awyr ar yr un pryd, fe ddaeth tro mawr arall yn fy sefyllfa.

Roeddwn i'n eistedd yn fy swyddfa yng Nghaernarfon pan ddaeth galwad ffôn. Owen Roberts, cynhyrchydd *Y Dydd* oedd yno ac roedd ganddo gynnig i mi. A fyddwn i'n fodlon ymuno â staff y cwmni fel gohebydd llawn amser yng Ngogledd Cymru?

Gofynnais am amser i feddwl. Roedd hwn yn benderfyniad mawr!

Ymblesera

Mae'n anodd dirnad, mae'n debyg, fod pêl-droed wedi bod yn chwarae rhan bwysig yn fy mywyd i. Yn wir, am dros bymtheng mlynedd bu'r gêm, neu o leiaf un agwedd ohoni, yn cymryd llawer iawn o'm hamser. Fel yr awgrymais yn gynharach, doedd gen i ddim diddordeb o gwbl mewn chwaraeon nac ymarfer corff pan oeddwn yn blentyn. Doedd dim siâp arna i mewn unrhyw gamp ac mi wnawn fy ngorau glas i ganfod ffyrdd o beidio cyfrannu, a chan ei bod hi'n amser rhyfel roedd cyfle da i mi wneud hynny. Merched, fel y dywedais eisoes, oedd mwyafrif y staff yn Ysgol Ramadeg Llangefni, a doedd y dynion oedd yno ddim yn greaduriaid oedd â llawer o dân yn eu boliau dros chwaraeon.

Ond, yn sydyn, fe ddaeth y rhyfel i ben a daeth y dynion yn eu holau i'r ysgol. Yn eu plith roedd y brawd hynod filain Mr Cameron, athro'r Clasuron (rydw i wedi sôn rhywfaint amdano fonta o'r blaen) – dyn caled, heb amser o gwbl i gydymdeimlo â diogyn fel fi. Canfu fy mod yn arbenigwr ar beidio chwarae unrhyw gêm, ond fy mod i'n wyliwr ardderchog.

Y fo a benderfynodd fy ngorfodi i redeg o gwmpas yn ystod gwersi chwaraeon, ac a'm cyflwynodd i'r chwiban a'm gorchymyn i ddysgu rheolau pêl-droed a dechrau dyfarnu. Ac yn wir, o dipyn i beth, fe ddechreuais fwynhau'r profiad ac aeth gair ar led fy mod i'n gallu gwneud y gwaith.

Byddai timau o hogiau lleol yn trefnu gemau honedig 'gyfeillgar' fin nos yn yr haf, a byddai'r 'boi bach Llanarchmedd 'na' yn cael galwad i fod yn reffarî. Byddwn yn cael benthyg beic fy nhad i fynd filltiroedd i gadw trefn ar y ddau griw a chwaraeai yn eu dillad gwaith ac mewn sgidiau hoelion. Buan iawn y deuthum i sylweddoli fod yr ansoddair 'cyfeillgar' yn un cwbl gamarweiniol fel disgrifiad o'r ymrysonau hyn. Ond roeddan nhw'n gyfle i mi roi fy ngwybodaeth o'r rheolau ar waith a dysgu ceisio cadw trefn ar ddau ar hugain o ddynion ifanc.

Awgrymwyd fy mod yn cofrestru fel reffarî gyda Chymdeithas Pêl-droed Cymru, ond doedd neb o dan ddeunaw oed yn gallu gwneud hynny. Fe ddaeth goleuni. Roedd Miss Alice Williams (Mrs Dewi Watcyn Powell, erbyn hyn) yn Drefnydd Ieuenctid i Bwyllgor Addysg Môn ac wedi penderfynu trefnu Cynghrair Bêl-droed i aelwydydd a chlybiau ieuenctid yr Ynys, a chefais fy rhoi ar ei rhestr hi o ddyfarnwyr ar gyfer y Gynghrair honno. Fel y gellid disgwyl, roedd yna drefn ar bethau a byddwn yn disgwyl yn eiddgar am lythyr o'r Swyddfa yn Llangefni i ddweud ble byddwn i wrthi'r Sadwrn dilynol. Bu'r profiad a gefais yn y Gynghrair honno o werth mawr i mi yn fy ngyrfa fel dyfarnwr, ac mae fy nyled yn fawr i'r Swyddog Ieuenctid am agor y drws imi.

Ond fe gefais un profiad chwerw – gorfod dyfarnu gêm rhwng Llannerchymedd a Llangefni. Yn anffodus, collodd y Llan ac arna i roedd y bai, yn ôl un o hogiau'r pentref. Dydw i ddim yn credu fod Hywel Siop Printers wedi maddau imi hyd heddiw – a fuo fo ddim yn brin o ddweud wrthyf beth oedd ei farn amdana i.

Beth bynnag, wedi imi gyrraedd deunaw oed roeddwn ar restr swyddogol Cymdeithas Bêl-droed Cymru ac roedd gen i dystysgrif wedi'i harwyddo gan Herbert Powell, yr ysgrifennydd, yn datgan fod O. G. Owen, Llannerchymedd yn *Class C Referee*. Roeddwn yn teimlo'n dipyn o foi!

Dechreuais gael cynnig gemau yng Nghynghrair Ynys Môn, a choeliwch fi, roedd yna dipyn o fri ar y Gynghrair honno bryd hynny. Yn wir, roedd yna glamp o dîm yn y Llan ei hun a degau o bobl yr ardal yn tyrru i wylio'r chwarae yng nghae Robat Hughes, Druid neu Gae Bryntirion.

Roedd yna sêr yn chwarae i'r Llan dros y blynyddoedd hynny: Hughie, Bryn Gollen; Hughie John Williams; Wil Rowlands; Bob Owen a W. T. Owen, ei frawd; Robin Owen, eu cefnder ac Ernie Owen, cefnder arall; Benny Jones; Ifor Roberts (neu Stedon bach) a bachgen o'r enw Walker o Wersyll y Fyddin yn Nhŷ Croes. Rwy'n gofyn am faddeuant os ydw i wedi anghofio rhywun, ond mae hanner can mlynedd ers y dyddiau hynny.

Doeddwn i ddim yn cael dyfarnu hefo hogia'r Llan, wrth gwrs, ond roeddwn i'n cael mynd i'r pentrefi eraill i gyd. A thipyn o brofiad oedd o. Roedd yna leoedd arbennig oedd â'r gallu ganddyn nhw i estyn croeso cynnes i reffarî o Lannerchymedd. Roedd y cyfarchion o'r dorf yn gwbl ddiflewyn ar dafod o'r foment gyntaf. Yn wir, roeddach chi wedi cael croeso mawr ymhell cyn y gêm.

Yn Llanfairpwll, roedd yn rhaid newid yn y dafarn yng nghanol y pentref a cherdded gryn bellter i'r maes. Roedd yr un peth yn digwydd yn Niwbwrch a'r Berffro, a'r un fyddai'r sylwadau: 'Agor dy lygaid heddiw, India Roc'; 'Cofia fod yna ddau dîm yn chwarae'; 'Gwylia dy hun y diawl bach'; 'Gobeithio byddi di'n well heddiw na'r tro dwetha' – a phethau llawer gwaeth.

Yn aml iawn y merched fyddai'r gwaethaf. Roedd yna wraig yn y Berffro oedd yn beryg bywyd hefo'i hambarél os byddech chi'n mynd yn rhy agos ati pan fyddai yna gic gornel.

Mi fyddai yna gebyst o awyrgylch pan fyddai Niwbwrch yn cyfarfod y Berffro neu Frynsiencyn, neu pan fyddai Berffro a Gwalchmai yn ymgiprys, heb sôn am y sgarmes rhwng Llanfairpwll a Theigrod Porthaethwy.

Un o'r cefnogwyr mwyaf brwd oedd Bob Thomas, trysorydd Clwb Gwalchmai, a fo fyddai'n talu i'r dyfarnwr ar ôl y gêm. Os oedd ei hogiau o wedi ennill, mawr fyddai'i groeso ar ôl yr olaf bib:

'Gêm ardderchog heddiw, Gwilym bach. Faint ydi dy gostau di, 'ngwas i?'

Ac mi fyddai'r arian yn cael ei roi yn fy llaw i'n barchus gyda mwy o ddiolch, a phawb o'i gwmpas yn dweud Amen.

Ond Duw â'm helpo ar y dyddiau pan fyddai Gwalchmai wedi colli. Dyna lle byddai'r Trysorydd ar ei ben gliniau ar y cae a'r bag arian o'i flaen. Mi fydda' â'i ben i lawr ac yn baldorddi:

'Gêm uffernol heddiw. Dwyt ti ddim yn haeddu cael dy dalu hefo washars, y diawl.'

A dyna lle bydda fo'n taflu'r arian ar y glaswellt a'r criw o'i gwmpas yn disgwyl i mi eu pigo i fyny. Unwaith y plygwn, mi fuaswn wedi cael cic yn fy setîn, felly roedd yn rhaid dweud wrth Bob:

'Mi gymera i'r arian yn fy llaw, os gwelwch chi'n dda, Mr Thomas.' A than chwyrnu a ffraeo mi fyddai'n eu rhoi imi a deud, 'Paid byth â dod yma eto.'

Unwaith aeth pethau mor ddrwg yng Ngwalchmai nes bod yn rhaid imi adael heb gael fy nhalu. Roedd y dorf am fy ngwaed, ac onibai am garedigrwydd T. P. Roberts o Fodffordd a aeth â fi yn ei fan i lawr i festri'r capel yn y pentref, mae'n debyg y gallai pethau fod wedi bod yn eithaf hyll. Ond cyn imi adael, daeth Cadeirydd y Clwb ataf i ymddiheuro ac i'm sicrhau na fyddai hyn byth yn digwydd eto pe deuwn i Walchmai.

Yn rhyfedd iawn, roeddwn i yno ymhen yr wythnos mewn cystadleuaeth Cwpan Junior. Roedd pawb wedi anghofio, yn enwedig gan fod Gwalchmai wedi mynd drwodd i'r rownd nesaf a'r 'diawl' o Lannerchymedd oedd y reffarî gorau a fu yn y pentref erioed.

Un lle yr oedd fy nghyd-ddyfarnwyr yn casáu mynd iddo oedd Aberffraw, ond mae'n rhaid cyfaddef fy mod i wrth fy modd yno. Roedd yna rywbeth bendigedig ynglŷn ag agwedd y bobl, ac roedd y tîm yn griw o fechgyn cyhyrog cryfion oedd yn rhoi eu holl ymdrech i'w chwarae. Os bu cyfraniad gant y cant gan dîm erioed, yna roedd o i'w gael gan yr hogiau yma. Bechgyn fel Jac Mary Ann, Peter Elwyn ac Owi bach – a phob un arall. Mae'r atgofion yn felys am ambell bnawn Sadwrn cofiadwy iawn ar draws y tywyn yn Aberffraw.

Dyna ichi Amlwch wedyn – criw arall o chwaraewyr

ardderchog ac awyrgylch arbennig ar faes y Lôn Bach. Roedd y reffarîs yn cael croeso yn nhŷ Mr a Mrs Hughes, ar draws y ffordd i'r cae, a chael defnyddio'r llofft ffrynt i baratoi. O'r fan honno, byddai posib gweld y dorf yn cyrraedd am ambell gêm fawr yn erbyn Caergybi, Niwbwrch neu Langefni. Roedd sglein ar y chwarae gyda'r tri brawd o fferm Dwygir yn serennu – Harri, Frank a John, os ydw i'n cofio'n iawn – ac, wrth gwrs, Idwal Owen, y Bwtsiar yn y canol yn cicio a gweiddi am awr a hanner.

Unwaith erioed, hyd y cofiaf, y daeth fy nhad i'm gweld wrth y gwaith. Fe ddaeth hefo William Reilly (Paddy) oedd yn byw drws nesaf, ac fe aeth y ddau i drwbwl cyn diwedd y gêm – dechrau dadlau hefo un o'r cefnogwyr lleol oedd yn dweud pethau lliwgar, ond pur feirniadol, o'm perfformiad i. Pan glywais beth oedd wedi digwydd awgrymais i'r ddau mai gwell fyddai peidio dod i wylio gêm lle'r oeddwn i yn y canol. Hyd y gwn i ni ddigwyddodd hynny wedyn. Roedd gen i ddigon o broblem yn cadw trefn ar y criw ar y cae heb orfod poeni am dymer fy nhad a'm cymydog ymhlith y dorf.

O dipyn i beth, roedd 'yr hen ddiawl yna o'r Llan' wedi cael enw o fod yn dipyn o ddisgyblwr ymhlith chwaraewyr yr ynys. Oeddwn, mi roeddwn i wedi anfon dau neu dri oddi ar y cae yn ystod y tymor cyntaf, ac roeddwn i wedi rhoi pregeth go galed i griw o'r rheiny ar hyd a lled yr ynys oedd yn credu mai cicio ei gilydd yn hytrach na chicio pêl oedd pwrpas yr ymarferiad wythnosol. Ond, rywsut rywfodd, roedd y genhadaeth wedi dwyn rhyw gymaint o ffrwyth. Nid bod hynny'n golygu nad oeddwn i, ar rai achlysuron, yn ei chael hi'n amhosib cael fy maen i'r wal. Roeddwn i, fel pawb arall, yn gwneud camgymeriadau ac o'r herwydd yn colli gafael ar bethau. Y peth gorau bryd hynny oedd ceisio anghofio a symud ymlaen, ond roedd hynny'n anodd gyda degau o bobl yn gweiddi ac yn protestio.

Beth bynnag, o dipyn i beth daeth fy ngwaith i sylw'r wasg a daeth gwahoddiadau gan Gwynfryn Jones, ysgrifennydd Cynghrair y Gogledd ar imi ddyfarnu mewn gemau yn ail adran y Gynghrair honno. Cefais fynd dros y Fenai i leoedd fel Mountain Rangers, Dyffryn Nantlle, Cesarea ac ail dîm Bethesda ac yn y blaen. Roeddwn i wedi dechrau ehangu gorwelion – ond cynghrair ddigon tila oedd honno ar y pryd.

Wedyn, dyma'r drws mawr yn agor, a'r cyfle'n dod i ddyfarnu ym mhrif Gynghrair Gogledd Cymru – timau fel Fflint, Treffynnon, Cei Connah, Prestatyn, Rhyl, Borough United, Bae Colwyn, Llandudno, Penmaen-mawr, Blaenau Ffestiniog, Llanrwst, Llanfairfechan, Bangor, Caergybi, Caernarfon, Dyffryn Nantlle, Porthmadog a Phwllheli.

Y dyddiau hynny roedd hon yn dipyn o gynghrair, a'r prif glybiau'n denu cannoedd ar gannoedd o gefnogwyr. Roedd Tommy Jones yn frenin ym Mhwllheli ac fe ddaeth Freddy Pye â'r garfan enwog o Fanceinion i Ddyffryn Nantlle, cyn symud wedyn i Bwllheli. Roedd yna dîm ardderchog yng Nghaergybi – criw talentog yn cynrychioli Borough United.

Roedd hen gymeriadau lliwgar fel Billy Russell ac Arthur Lunn yn rheoli rhai o'r clybiau hyn, ac roedd chwaraewyr o Ogledd Lloegr ac Iwerddon yn tyrru ar hyd yr arfordir bob Sadwrn gan gyfeirio at Ogledd Cymru fel 'Y *Gold Coast*' oherwydd bod y tâl am chwarae mor dda. Yn wir, roedd rhywun yn clywed am gyflogau enfawr oedd yn mynd i bocedi'r rhain ond roedd dyfarnwyr tebyg i mi, oedd yn ceisio cadw trefn arnyn nhw, yn cael y tâl anrhydeddus o ddau swllt ar bymtheg a chwe cheiniog (ynghyd â chostau teithio) am y fraint.

Roedd gwaith y reffarî yn waith hynod o anodd. Doedd yna ddim y fath beth â llumanwyr niwtral – un o fois y clybiau oedd yn cynorthwyo, ond prin mai 'cynorthwyo' yr oeddan nhw. A dweud y gwir roeddan nhw'n fwy o niwsans nag o help, ac yn debycach i ddeuddegfed aelod o bob tîm. Doedd dim amdani ond gwneud y gorau o'r sefyllfa.

Roedd yna rai clybiau yn y gynghrair oedd yn fwy uchelgeisiol a llwyddiannus na'r lleill. Ddeallais i rioed pam yr oedd Llanfairfechan a Phenmaen-mawr yn aelodau. Roedd yn gas gen i gael fy anfon i 'Pen' yn nhrymder gaeaf – y maes ar ochr yr A55 , a'r gwynt a'r glaw o'r môr yn gwneud ffars o'r chwarae. Roedd y lle'n uffern ar y ddaear!

Digon tebyg oedd hi yn Llanrwst ar lan Afon Conwy. Lle peryglus iawn os oeddach chi'n cael gêm wael. Roedd yr awgrym y byddech chi yn yr afon ar y diwedd yn ddigon i godi ofn ar rywun. Roedd yr un peth yn wir am Barc Meurig ym Methesda. Roedd 'hogia Pesda' yn barod iawn i'ch atgoffa y gallai trochiad yn Afon Ogwen fod yn dod i'ch rhan os nad oedd pethau'n gwella. (Os ydach chi wedi darllen *Un Nos Ola Leuad* gan Caradog Prichard, rydach chi'n gwybod fod hynny wedi digwydd i un creadur bach o reffarî unwaith. Oes, mae 'na le i gredu fod honno'n stori wir.)

Ym Methesda hefyd, roedd yna gymeriad o gwmpas yr ystafelloedd newid o'r enw Mike Hughes oedd yn barod iawn i'ch rhoi ar ben ffordd. Roedd o, medda fo, wedi bod yn dyfarnu yng nghynghreiriau mawr Lloegr ac yn gwybod be oedd be. Roedd ganddo'r ddawn i wneud i chi deimlo'i bod hi'n fraint ichi gael cwrdd ag o. Roedd ei acen yn awdurdodol, ei Saesneg yn 'posh' iawn a'i hyder yn ddibendraw. Wnes i erioed ganfod pwy oedd o, nac a oedd o'n dweud y gwir, na chwaith beth yn union oedd ei swyddogaeth ym Methesda.

Roedd gan y mwyafrif o'r clybiau eu cymeriadau. Dyna ichi Tommy Allen, y llumanwr cwbl unllygeidiog oedd gan glwb Dinas Bangor. Pwrpas byw i Tommy oedd gwneud gwaith dyfarnwr yn amhosibl. Arthur Totton wedyn, Cadeirydd Borough United, gŵr mewn swydd barchus gyda chwmni olew ond a oedd yn llwyddo i fynd yn gwbl wallgof bob pnawn Sadwrn. Yn ystod y gemau byddai ei iaith yn aflan a'i lais yn wichlyd (ac wedi diflannu cyn diwedd pob gêm), ond roedd o'n rhoi ei gyfan i'w glwb. A dyna ichi Harry Williams – Harry Haul, Cadeirydd Clwb Caernarfon, landlord tafarn y Crown. Mewn stafell yno y byddai Cymdeithas y Dyfarnwyr yn cyfarfod, a Harri y tu hwnt ei groeso – felly hefyd y byddai ar bnawn Sadwrn ar yr Oval nes byddai rhywbeth yn mynd o'i le. Hen wag clyfar oedd Harri a'r sbarc yn ei lygaid yn siarad cyfrolau. Dyn pêl-droed go iawn – ac fe ellid dweud yr un peth am Evie Morgan, Cadeirydd Porthmadog ac E. J. Jones a oedd yng nghadair Clwb Caergybi. Dau arall y dylem sôn amdanynt ydi Walter Reilly yn Nyffryn Nantlle a Stan Chadderton ym Mae Colwyn. Oedd, roedd 'na griw ardderchog a brwdfrydig yn ymhél â'r gêm bryd hynny.

Ond yng Nghaergybi roedd yna un boi unigryw, sef Wil Baw Iâr (wel, nid 'Baw' oedd y gair go iawn, ond gwell bod yn barchus). Doedd gan Wil ddim byd caredig i'w ddweud amdanaf i. O'r foment y gwelai fi byddai ar gefn ei geffyl. Mae'n amhosib dyfynnu'i sylwadau ond roedd o'n ddiddiwedd o'r dechrau i'r diwedd. Roedd o'n symud o gwmpas y cae a'i lais yn dod o bob cyfeiriad. Un o'i ddywediadau cofiadwy oedd, 'Tyrd i sefyll yn fan'ma Llanachmedd, iti gael gweld drosot dy hun mor uffernol o wael yr wyt ti.' Wel, chwarae teg i Wil, doedd 'na ddim ateb i hynna.

Un arall tebyg iddo fo oedd Jackie Parry yng Nghaernarfon – trefnydd angladdau parchus wrth ei alwedigaeth ond Cofi Dre go iawn ar bnawn Sadwrn. Mi fyddai wedi trefnu f'angladd i'n rhad ac am ddim lawer gwaith, dwi'n siŵr. Byddai'n fy niawlio hyd yn oed pe bawn i'n dyfarnu ar ochr y Canaries – ac un o'i sylwadau mawr o oedd, 'Gwena'r gwynab gratur diawl. Mae gen ti wynab fel lemon.' Y gorau allwn i wneud oedd ceisio gwenu – ond i ddim pwrpas.

Mi allwn i fynd ymlaen ac ymlaen yn sôn am y pethau glywais i gan y cefnogwyr. Fel y ddau fachgen o Fodedern a welodd eu tîm yn cael crasfa gan fechgyn Bangor yn Farrar Road ar ddiwrnod gwlyb ofnadwy mewn gêm Cwpan. Roedd y ddau wedi torri'u calonnau, ac wrth baratoi i blygu i godi pentwr o fwd i'w daflu ata' i dyma un yn troi at y llall a deud, 'Let's give him torchins' – gan feddwl mai Sais oeddwn i. Mae'n debyg mai meddwl am daflu tyweirch ata' i yr oedd o, ond fe ddaeth rhywun heibio cyn iddyn nhw gyrraedd eu nod. Siomedigaeth yn hytrach na chasineb oedd y rheswm, mae'n siwr.

Bu digon o fwrw amheuaeth ynglŷn â'm gallu i weld a chlywed, a sawl cyngor i brynu sbectol newydd – heb sôn, wrth gwrs, am yr honiad wythnosol mai mab llwyn a pherth oeddwn i. Mae'n rhaid cyfaddef fod y defnydd o'r gair 'bastad' yn fy nghlustiau'n fwy na dim arall, ond efallai nad oedd y mwyafrif o'r rheiny â'i defnyddiai'n deall gwir ystyr y gair – fel y gwelais i unwaith ym Mhorthmadog pan ofynnais i hynny i fachgen ifanc a safai tu ôl i'r gôl ymhlith criw o bobl. Roedd o'n amlwg wedi dychryn pan stopiais y gêm a gofyn iddo'n blwmp ac yn blaen,

'Wyt ti'n gwybod ystyr y gair ddefnyddiaist ti rŵan?'

'Nag ydw,' oedd ei ateb.

'Mi esbonia i iti ar ôl y gêm,' meddwn i. 'Tyrd i gael gair hefo fi.' Ond welais i ddim golwg ohono fo. Ac roedd hi'n hynod o barchus yn y rhan yna o'r dorf am weddill y gêm.

Mae'n debyg mai ar bnawn braf yn Nyffryn Nantlle y clywais y sylw mwyaf gwreiddiol. Roedd y stori wedi bod yn y papur lleol fy mod i'n dyfarnu o dan lifoleuadau yn y Rhyl yr wythnos ddilynol. Beth bynnag am hynny, roeddwn wedi dyfarnu cic o'r smotyn yn erbyn y tîm cartref. Doeddwn i ddim yn boblogaidd ac roedd y dyrfa niferus yn bur anfodlon. Roedd y gic ar fin cael ei chymryd a phob man yn gymharol dawel pan waeddodd llais o'r dyrfa:

'Mae'n deud yn y *Caernarvon & Denbigh* dy fod ti'n

reffio o dan 'floodlights' yn Rhyl yr wsnos nesa. Dwyt ti ddim yn gweld yng ngola *dydd*, y diawl.' Chwarae teg iddo fo. Roedd pawb yn chwerthin ac, i goroni'r cyfan, methodd y creadur a gymerodd y gic â rhoi'r bêl yn y rhwyd. Roedd pawb yn hapus!

O safbwynt y chwaraewyr yn y cyfnod yna, roedd toreth o fechgyn ardderchog yn chwarae. Mae enwau rhai fel Glyn Rowlands, Tecwyn Evans, G. R. (Topsy) Williams, Eddie Byrne a Tommy Welsh yng Nghaergybi; y criw a ddaeth hefo Tommy Jones i Bwllheli; criw amatur ardderchog Porthmadog: Billy, Ieuan a Moss Griffiths, Glyn Owen, Dafydd Glyn Pierce a Dafydd Lloyd. Ac fe allwn i fynd ymlaen ac ymlaen.

Wrth gwrs, mae'n rhaid cyfeirio at yr unigryw Orig Williams a'i gyfaill Idris (Tarw Nefyn) Evans. Os bu dau oedd yn rhoi popeth i mewn i'w gêm, yna Orig ac Idris oedd y rheiny. A wyddoch chi beth? Er 'mod i'n cael yr enw o fod yn ddisgyblwr caeth ar y maes, chefais i erioed achos, hyd y cofiaf, i nodi enwau y naill na'r llall yn fy llyfr bach du. Chwaraewyr gonest oedd Orig a'r Tarw – doedd 'na ddim byd yn slei na dan-dîn yn eu chwarae nhw. Yn aml iawn, roedd eu cyfarthiad yn llawer caletach na'u brathiad.

O ran y dyfarnu ei hun, fe fûm i'n ddigon ffodus i gael fy hun ar restr o bump o ddyfarnwyr Cymru a oedd ar restr ryngwladol FIFA. Fe gefais gyfle i fod yn llumanwr mewn gemau rhyngwladol proffesiynol ac i ddyfarnu mewn gemau amatur a ieuenctid rhyngwladol, yn ogystal â dyfarnu rowndiau olaf Cwpan Cymdeithas Pêl-droed Cymru a rownd derfynol Cwpan Amatur a Chwpan Ieuenctid Cymru. Hefyd, tra yn y Llu Awyr, bûm yn ddigon ffodus i gael mynd i ddyfarnu mewn cystadlaethau rhwng timau'r gwahanol luoedd ar hyd a lled Prydain.

Do, bu penderfyniad y Bonwr Cameron yn Ysgol Llangefni i'm cosbi am fy niogi yn gyfrwng i'm cychwyn ar lwybr a aeth a mi i'r brig yn y maes dros gyfnod o bymtheng mlynedd.

Yn ychwanegol at y dyfarnu, fe agorodd yr hen Gameron ddrws arall i mi – drws newyddiaduriaeth chwaraeon ar radio a theledu.

Yn ystod diwedd y pumdegau a dechrau'r chwedegau fe gefais gynnig llawer iawn o waith gan Thomas Davies ar ei raglenni radio, fel *Y Maes Chwarae* a *Chwaraeon*. Fe ddysgais lawer am arddull holi a pharatoi adroddiadau o dan arweiniad Thomas. Roedd ei ofal am gywirdeb ieithyddol a bathu termau Cymraeg a'u defnyddio'n rheolaidd yn rhywbeth y mae gen i barch mawr iddo. Braint oedd cael bod yn rhan o'i dîm, gyda phobl fel Eic Davies, Llew Rees, Jac Elwyn Watkins, Howard Lloyd, ynghyd â gwesteion fel Jac Evans y Bala, Glyn Bryfdir Jones o Stiniog ac, yn ddiweddarach, yr annwyl Carwyn James.

Mae gen i un atgof am y profiad o fynd allan i holi, a chael gorchymyn i fynd i weld Orig Williams wedi iddo gael ei benodi'n rheolwr Nantlle Vale. Roedd clwb y Dyffryn wedi bod yn y gwaelodion isaf oll ac roeddwn i yno ar noson gyntaf Orig fel y bos newydd, a'i obaith mawr oedd cael tro ar fyd yn y Vale. Dyma benderfynu gofyn cwestiwn pryfoclyd iddo fo (a chlyfar hefyd, yn fy marn i). Troi'r peiriant ymlaen a mentro gosod hwn iddo fo:

'Deudwch i mi, sut mae'r newid yma i Orig yn mynd i ddod ag orig o newid yn hanes y clwb yma?'

Daeth yr ateb yn syth:

> Ar arferion Cymru gynt
> Newid ddaeth o rod i rod;
> Mae cenhedlaeth wedi mynd
> A chenhedlaeth wedi dod.

Roedd El Bandito wedi rhoi peltan iawn imi ac wedi rhoi caead ar fy mhiser. Dydw i ddim yn cofio dim am weddill y cyfweliad – ond fe gafodd ei ddarlledu. Roedd, ac mae, Orig yn greadur unigryw – a diolch amdano.

Ond, mae popeth da yn dod i ben, ac ar ôl pymtheng mlynedd roedd gen i gymaint o waith yn fy swydd amser llawn a gwaith darlledu a theledu fel ei bod hi'n gwbl amhosib parhau i wneud popeth. Er bod drysau'n dechrau agor imi i gyfeiriad gwasanaethu yng Nghynghrair Lloegr, roedd yn rhaid derbyn na allwn dderbyn yr her. Ond chwarae teg i'm cyfaill, Gwyn Pierce Owen – yntau'n un o hogiau Môn – fe ddaliodd o ati a chyrraedd y brig go iawn a chael teithio'r byd. Ac yn fwy na hynny, mae o wedi dal ati hyd heddiw, gan roi'i ysgwydd dan y baich o gynnal Clwb Pêl-droed Dinas Bangor.

Mae gen i ofn na fydda i byth yn mynd i weld gêm bellach. Mae gan Eirlys, fy ngwraig, lawer mwy o ddiddordeb – yn enwedig felly yn Alex Ferguson a'i dîm. Pan fydda i'n edrych ar gêm ar y bocs, mae'n rhaid cyfaddef mai gwylio'r dyfarnwr y bydda i. Mi fydda i wrth fy modd pan fydd yr arwr mawr moel o'r Eidal wrth ei waith. Ie, Colleena ydi'r seren bellach ar hyd a lled y byd. Ysgwn i, petai'r hen ddiawl bach 'na o

Lannerchymedd wedi cario ymlaen am bymtheng mlynedd arall, a fuasai *o* wedi cyrraedd pinacl y proffesiwn? Ond does dim gwerth breuddwydio. Gwell diolch am y dyddiau dedwydd a gafwyd a'r cannoedd sy'n dal i gofio'r dyddiau da ar hyd *Gold Coast* Gogledd Cymru!

Newid Cyfeiriad

Dyddiau anodd oedd y rheiny wedi derbyn yr alwad gan Owen Roberts. Roedd yn rhaid pwyso a mesur yn ofalus. Byddai derbyn y gwahoddiad i fynd i weithio i TWW yn golygu torri pob cysylltiad â'r BBC. Dim mwy o ddarlledu mewn rhaglenni ysgolion, rhaglenni plant na rhaglenni nodwedd a dim cyfrannu i raglenni chwaraeon Cymraeg ar y radio. Roedd yr arian a gawn am yr holl waith hwnnw yn sylweddol, o'i gymharu â'r hyn yr oeddwn yn debygol o'i dderbyn fel gwas cyflog amser llawn i TWW.

Byddai derbyn y swydd hefyd yn golygu fy mod yn gorfod gadael fy ngwaith yn y gwasanaeth ieuenctid – gwaith yr oeddwn yn hapus iawn ynddo. Roedd gen i griw o gyfeillion ardderchog yn gweithio ar hyd a lled sir Gaernarfon, pobl yr oedd gen i barch mawr iddyn nhw am eu hymroddiad i gyfrannu i'w cymunedau leol – pobl fel Dewi yn Llandudno, Griff Evans yn Llanllechid, John Morris Davies yn Mynydd Llandegai, O. R. Jones yn Nhregarth, R. D. Price yn Rhiwlas, Aneurin Owen a Griff Jones ym Mronyfoel, Hugh Williams yn Rhosgadfan, Gordon Ward yn Llanberis, John G. Jones yn y Felinheli, Mr Humphreys yn y Garn, Stan Owen yn Llanaelhaearn, Nellie Williams ym Moduan, Dafydd Jones yn Aberdaron, Gwynfor Wiliams yn Abersoch, Tony Davies ym Mhwllheli, ac wrth gwrs, yr unigryw

John William Elis – Perisfab – yn Nant Peris. Halen y ddaear, pob un ohonyn nhw.

Byddai gadael y swydd hefyd yn golygu dweud ffarwél wrth y dyn y dysgais i lawer iawn o fod yn ei gwmni, Ifor Bowen Griffith. Dyn arbennig iawn, iawn. Arian byw o gymeriad.

Roedd bod yng nghwmni I.B. yn brofiad cyfoethog. Y fo ddysgodd imi chwerthin yn lle gwylltio. Y fo ddysgodd imi gyfrif i ddeg cyn ymateb i feirniadaeth. Y fo ddysgodd imi beidio teimlo'n eilradd am imi fod yn fethiant academaidd. Onid oedd o wedi cael yr un profiad ei hun? Y fo ddeudodd unwaith, 'Mae *BA (Fail) Wales* yn rhywbeth gwerth ei roi ar dy CV.' Wnes i erioed hynny, ond roedd o'n gyngor doeth iawn.

Mi fyddai I.B. wedi bod yn glamp o Aelod Seneddol ac yn Weinidog effeithiol mewn unrhyw lywodraeth. Roedd ganddo'r ddawn dweud honno yn ogystal â'r meddwl dadansoddol deallus i allu trin a thrafod problem yn hynod effeithiol. Ac, yn fwy na dim, roedd o'n parchu pobl – pobl o bob dosbarth – ac roedden nhw'n ei barchu o. Roedd o ar ei orau pan oedd o'n gadeirydd Pwyllgor Tai Cyngor Tref Caernarfon ac fe wnaeth gyfraniad mawr yn y maes hwnnw yn ystod ei dymor. Roedd pobl y dref yn hynod bwysig iddo fo – fel yr oedd pobl ym mhob man.

Oedd, roedd I.B. yn Sosialydd ymarferol go iawn ac mi fydda i'n fythol ddiolchgar iddo am fy nghyfeirio fel y gwnaeth. Er, cofiwch, iddo chwarae ambell dric arna i – fel fy mherswadio i gymryd ei le ar y diwrnod ffilmio hwnnw yng Ngorsaf y Llu Awyr yn y Fali. Yn wir, fe gymerais ei le ar fwy nac un achlysur, mewn amrywiol ddigwyddiadau. Yr unig dro y byddwn i'n ei wrthod oedd pan fyddai'n ffonio ar bnawn Sul a gofyn imi fynd i lenwi'i le mewn rhyw gapel bach diarffordd yn rhywle! Na, doeddwn i ddim am fynd i lenwi pulpudau yn ei le. Ond rhywbeth bach oedd hynny, ac fe ddaeth i ddeall yn y diwedd.

Dyna'r broblem oedd yn fy ngwynebu felly. Aros ble roeddwn i, neu dderbyn y sialens a neidio i mewn i fôr mawr ansicr y cyfryngau. Wedi pwyso a mesur, roedd hi'n dod yn fwy a mwy amlwg i mi na allwn barhau i geisio gwneud dwy neu dair swydd ar yr un pryd. Y gwir plaen amdani oedd y byddai'r amser yn dod pan na allwn wneud yr un ohonynt yn briodol.

Dyma benderfynu felly mai troi at fyd y bocs yn y gornel y buaswn, a derbyn gwahoddiad Cwmni TWW i fod yn aelod o'r staff. Wrth gwrs, roedd hynny'n golygu dweud gwbdbei hefyd wrth y BBC, a doedd hynny ddim yn hawdd chwaith.

Anghofia i byth mo'r rhaglen olaf a wnes ar gyfer yr adran chwaraeon a'r hen gyfaill, Eic Davies, yn dweud, 'Dyna'r tro olaf inni gael cyfraniad gan Gwilym Owen. Mae o wedi penderfynu symud i gyfeiriad arall.' A dyna'r cyfan. Roeddwn wedi pechu wrth fynd i mewn i gorlan teledu masnachol.

Pan glywodd Dr Sam Jones am fy mhenderfyniad, mynegodd yntau'i siom. 'Un o'n pobl ni ydach chi,' medda fo. 'Rhai rhyfedd ydi pobl Teledu Mamon,' medda fo wedyn. Ond chware teg i'r Dr Sam, ddaru o ddim dal dig ataf. Byddwn yn dal i'w hebrwng gartref o'r capel ar fore Sul ond ddaru o erioed sôn am yr un rhaglen nac eitem y bûm i'n rhan ohonynt. Mae'n siŵr ei fod o'n gwylio bron popeth – ond fydda fo byth yn cyfaddef hynny.

Roedd yna athroniaeth ymhlith rhai o bobl y Gorfforaeth mai'r unig ffordd i ddelio â theledu masnachol oedd cymryd yr agwedd nad oedd y fath beth yn bod, ac o aros felly'n ddigon hir y byddai'r bwgan yn diflannu. Ond hefo'r bwganod yr oeddwn i wedi penderfynu gweithio.

Cyn hynny, roedd yn rhaid imi gael cyfweliad gyda rhai o bwysigion cwmni TWW, ond dydw i'n cofio fawr am y cyfweliad ei hun. Gŵr o'r enw Peter Bartholomew oedd yn y gadair, ac roedd yr ystafell yn llawn o bobl, hyd y cofiaf. Yn eu plith yr oedd Percy Jones o Gasnewydd, Syr Ifan ab Owen Edwards, Cynan ac, wrth gwrs, yr annwyl Dr Huw T. Edwards. Yno hefyd yn fy nghyflwyno roedd Pennaeth y Cwmni yng Nghymru, Wyn Roberts (bellach, yr Arglwydd Roberts o Gonwy), ynghyd â Dorothy Williams, ei ddirprwy.

Doedd yna fawr o siâp ar y cyfweliad – rhywbeth cwbl anffurfiol oedd y cyfan – ac ar ôl ychydig funudau dyma'r Dr Huw T. yn torri ar draws y cyfan ac yn dweud, 'Symud dy gadair i fan'ma Gwilym, inni gael sgwrs fach.' Mi fentrais wneud hynny ac felly y daeth y cyfan i ben. Meddai'r hen arweinydd Undeb Llafur dan ei wynt, 'Doeddwn i ddim eisiau gwrando ar fwy o rwdlan. Fe gawn ni baned o de rwan ac fe gei ditha gychwyn yn ôl am y Gogladd 'na.'

Felly yr ymunais i â chwmni TWW a chychwyn gyrfa newydd sbon – diolch i Huw T. am fy ngwneud i'n gartrefol.

Ergyd Sydyn

Bellach, byddai fy swyddfa ym Mangor – os swyddfa hefyd. Roedd yno dair ystafell a rhyw fath o gegin ar lawr uchaf Tŷ Caxton ar y Stryd Fawr, yn cynnwys bwrdd, ffôn a dwy neu dair o gadeiriau.

Y peth cyntaf oedd yn rhaid ei wneud oedd gwella'r lle o ran ei olwg. Wedi'r cyfan, fy nheitl swyddogol yn ôl y dogfennau oedd 'Newyddiadurwr a Chynrychiolydd TWW yng Ngogledd Cymru'. Ar sail hynny, teimlwn fod gen i'r hawl i fynnu ychydig o foethusrwydd – fel desgiau a chadeiriau swyddfa, yn ogystal â rhywbeth i guddio'r craciau yng nghoed y llawr. O dipyn i beth fe lwyddwyd i gael y cyfryw bethau ar gyfer y swyddfa, heb sôn am ystafell arbennig ar gyfer y bechgyn yn y criw ffilmio. Fe lwyddais cyn bo hir hefyd i benodi ysgrifenyddes llawn amser a rhywun i lanhau'r lle bob nos. O'r diwedd, roedd TWW wedi'i sefydlu'i hun yng Ngogledd Cymru, ac roedd yna arwydd ar ddrws ffrynt Tŷ Caxton i brofi hynny.

Roedd yr adeilad ei hun yn lle digon cymwys i gael swyddfa o'r fath – roedd Tŷ Caxton, wrth gwrs, yn gartref i'r *North Wales Chronicle* a'r papur Cymraeg, *Y Cloriannydd*. Jyst y lle i fod, ar lawer ystyr.

Roeddan ni'n deulu bach clos. Yn cydweithio â mi bu dynion camera ardderchog fel Jack James, Gareth Owen, Neil Hughes, Ted Brown a Roger Richards. Y peirianwyr sain oedd Mike Greenhalgh a Des Bennett; hefyd, wrth gwrs, y trydanwr unig, Alan Studholme.

Allai neb ddymuno am well cydweithwyr. Roedd yna alw arnyn nhw i fod ar gael ddydd a nos, a go brin y gellid dweud fod ganddyn nhw lawer o ryddid a threfn yn eu bywydau bob dydd. Roedd yn ardal mor fawr, a dweud y gwir – Cymru gyfan i'r gogledd o Aberystwyth! Mi fydden ni'n teithio cannoedd o filltiroedd bob mis.

Y drefn ar y cychwyn oedd paratoi eitemau i'w darlledu'n ddiweddarach, ond fel y datblygai pethau byddai galw arnom i baratoi eitemau yn y bore a'r rheiny'n cael eu gyrru bob cam i Gaerdydd i'w darlledu'r un diwrnod. Tipyn o dasg. Trefn oedd hi a fyddai'n dod yn weithredu dyddiol yn y blynyddoedd i ddod fel y byddai rhaglen *Y Dydd* yn dod yn fwy a mwy newyddiadurol, yn hytrach nag yn rhaglen nodwedd fel roedd *Heddiw* y BBC.

Roedd o'n gyfnod prysur ond eto'n un hynod o hapus. Erbyn hyn, roeddem fel teulu wedi symud i fyw i Ffordd Ffriddoedd – cartref lle cafodd y tri ohonom lawer iawn o hapusrwydd. Roedd gennym gymdogion arbennig o garedig. Roedd Mrs Gaynor Jones a'i dwy ferch, Mair ac Alyse, yn driawd hyfryd i fod yn byw y drws nesaf iddynt, a buont yn groesawgar iawn tuag atom, nid yn unig yn y cyfnod hwnnw ond am flynyddoedd wedyn. Roedd yna nifer o gymdogion eraill hefyd y bu byw yn eu plith yn bleser llwyr.

Ond fe fu dau ddigwyddiad trist iawn yn y cyfnod hwnnw. Collodd Eirlys ei mam, ar ôl cystudd hynod o galed. Roedd ei cholli hi'n ergyd drom inni'n tri. Roedd hi'n wraig arbennig iawn – yn fam, nain a mam yng nghyfraith unigryw. Yn wir, gallaf dystio'n bendant na chafodd neb erioed well mam yng nghyfraith nag a gefais i. Coffa annwyl iawn amdani.

Yn yr un cyfnod, hefyd, fe gollais innau fy nhad. Bu yntau mewn gwendid am fisoedd cyn i'r cancr yn ei ysgyfaint ei goncro. A dweud y gwir, ar ôl oes o weithio caled, chafodd o fawr o fwynhad ar ôl ymddeol gan iddo gael ei flino gan un gwaeledd ar ôl y llall.

Ond, wrth gwrs, roedd bywyd yn gorfod mynd yn ei flaen. Roedd Eleri'n dal i fynd i Ysgol Gymraeg Sant Paul ac ar y cyfan yn mwynhau'i hun yno gyda chriw o ffrindiau a oedd wrth eu bodd yng nghwmni ei gilydd. Roedd Capel Penuel yn dal i chwarae rhan bwysig ym mywydau'r tri ohonom. Oedd, roedd yr olwyn wedi troi yn gyfan gwbl o fewn ychydig flynyddoedd.

Ond yna'n sydyn, fel bollt o wn, fe ddaeth newyddion drwg. Fe gollod TWW y drwydded i ddarlledu yng Nghymru ac roedd Consortiwm newydd o'r enw Teledu Harlech wedi llwyddo i berswadio'r Awdurdod Darlledu Annibynol mai nhw oedd y criw mwyaf cymwys i wasanaethu Cymru. Doedd dim sicrwydd o gwbl yn ystod yr wythnosau cyntaf wedi'r cyhoeddiad beth yn union fyddai'r dyfodol i staff TWW. Roedd yna lawer o drafod a sgwennu yn y wasg a'r awgrym oedd y byddai'r cwmni newydd yn chwilio am staff newydd sbon. Roedd delwedd newydd yn anhepgor er mwyn plesio'r Awdurdod Darlledu. Criw digon digalon a thrist oedd yn Caxton House ym Mangor y dyddiau hynny ac fe barodd yr ansicrwydd am fisoedd lawer.

Ar y bore cyntaf hwnnw, pan ddaeth y newydd drwg, roeddwn i'n eistedd yn y swyddfa fel pelican toc ar ôl wyth o'r gloch y bore pan ganodd y ffôn. Am y tro cyntaf erioed, nid y cynhyrchydd, Owen Roberts, oedd yno ond y bos mawr ei hun, Wyn Roberts. A gorchymyn oedd ganddo.

Roedd am i mi a'r criw ffilmio fynd i weld y Dr Huw T. Edwards yn Cilcain ger yr Wyddgrug a Syr Ifan ab Owen Edwards yn Aberystwyth. Roedd y ddau, wrth gwrs, yn aelodau o Fwrdd Cyfarwyddwyr TWW. Roedd trefniadau wedi'u gwneud i'r ddau wneud cyfweliad i ymateb i benderfyniad yr Awdurdod Darlledu, ac roedd yn hanfodol ein bod yn cael y ffilm i lawr i Gaerdydd ar gyfer rhaglen *Y Dydd* y noson honno. Felly dyma'r criw a minnau'n cychwyn ar daith i weld dau hynafgwr oedd yn sicr o fod yn bobl siomedig iawn.

Go brin y gellid disgrifio'r Dr Huw T. fel dyn siomedig – roedd o'n ddyn blin iawn, iawn. Un gŵr oedd yn dod dan ei lach a hwnnw oedd fy nghyd-aelod ym Mhenuel, Syr Ben Bowen Thomas.

Syr Ben, wrth gwrs, oedd cynrychiolydd Cymru ar yr Awdurdod Darlledu, ac mae'n debyg fod ei air o wedi bod o gryn bwysigrwydd yn y penderfyniad i roi clec i TWW. Dyna oedd teimlad Huw T. Edwards, beth bynnag. Ddywedodd o mo hynny yn ei gyfweliad cyhoeddus, wrth reswm, ond fel 'y bradwr diawl' y disgrifiodd o Syr Ben fwy nag unwaith y bore hwnnw.

Wedi cyrraedd Aberystwyth, yr un oedd teimlad Syr Ifan ab Owen Edwards. Roedd o'n amlwg wedi cael sioc, a chan ei fod o hefyd mewn gwendid o ran iechyd roedd o'n hynod o emosiynol. Roedd yntau hefyd yn arbennig o ddig gyda Syr Ben Bowen Thomas ac un o'r sylwadau a wnaeth o'n breifat oedd, 'Mae Ben wedi 'mradychu i. Y fi awgrymodd ei enw fo fel un cymwys ar gyfer cynrychioli Cymru ar yr Awdurdod. Roeddwn i mewn cinio efo Henry Brooke,' meddai, 'pan ofynnodd am fy nghyngor i ac fe awgrymais enw Syr Ben Bowen – a drychwch beth mae o wedi'i wneud.'

Cefais brofiad nas anghofiaf byth y bore hwnnw, gan imi weld am y tro cyntaf erioed sut mae'r Sefydliad Cymraeg yn gallu'i ddarnio'i hun.

Rhaid oedd i'r gwaith fynd yn ei flaen yn Caxton House ar waetha'r holl ansicrwydd, a dyma'r cyfnod y cefais i'r profiad o weithio mewn Etholiad Cyffredinol am y tro cyntaf. Mi dreuliais dipyn o amser yn dilyn yr ymgyrch yn etholaeth Conwy ac roeddwn yno ar noson y cyfrif pan drechwyd y Tori, Peter Thomas, gan Ednyfed Hudson Davies o'r Blaid Lafur.

Ar ddechrau'r noson, roeddwn wedi trefnu i holi'r ymgeiswyr i gyd ar y terfyn ac roedd y Bonwr Thomas yn barod iawn i gydweithredu. Ond, och a gwae, wedi'r cyfrif roedd y brawd wedi colli'i sedd, a gwrthododd yn lân dorri gair â fi. Yn wir, fe ddywedodd ddau neu dri o bethau digon cas am y wasg a'r cyfryngau yn lleol – doedd o ddim yn ddyn graslon iawn y bore bach hwnnw yng Nghonwy. Gwleidydd yn methu rheoli'i dymer oedd o'r tro *hwnnw*, beth bynnag.

Ond fe fu'n anwylach dyn o lawer hefo fi ymhen pedair blynedd pan oedd o'n aelod seneddol dros Hendon ac yn dal swydd Ysgrifennydd Cymru – ond fe gawn sôn am hynny eto.

Yn ystod yr ymgyrch honno yng Nghonwy y cyfar-fyddais â'r rhyfeddol George Brown, un o gewri'r Blaid Lafur ar y pryd. Gŵr oedd yn amlwg yn credu fod llond bol o ddiodydd poethion yn cyfrannu at ei allu fel gwleidydd a gweinidog yn y Llywodraeth.

Mae stori amdano, pan oedd yn Ysgrifennydd Tramor, ar daith yn Ne America a dawns fawr wedi cael ei threfnu ar ei gyfer. Yn ystod y ddawns, fe ymddengys fod George wedi dweud wrth ei weision sifil ei fod am ddawnsio gyda'r ferch ar draws y llawr oedd yn gwisgo ffrog biws hardd – yn ei olwg o.

'Na, peidiwch, syr,' meddai'r cynghorwyr.

Ond doedd dim perswâd. I ffwrdd â fo a gofyn iddi,

'A gaf fi'r rumba yma hefo chi?'

'Na chewch, Ysgrifennydd Tramor,' meddai'r llais o'r ffrog.

'Pam?' gofynnodd George.

'Wel,' meddai'r llais, 'mae yna dri rheswm. Yn gyntaf, nid rumba ydi'r ddawns ond waltz. Yn ail, rydach chi'n feddw. Ac yn drydydd, y fi ydi Archesgob Montevideo.'

Nis gwn ai gwir ai gau y stori ond mae hi'n rhoi darlun ardderchog o'r gwleidydd lliwgar, unigryw a fu'n gymaint o embaras i Harold Wilson.

Peth arall, mae'n debyg, a fu'n embaras i Wilson yn y cyfnod hwnnw oedd y ffaith fod ei Ysgrifennydd Gwladol yng Nghymru wedi cael ei erlid ar draws maes Eisteddfod Aberafan yn 1966. Roeddwn i yno pan orfu i Cledwyn Hughes chwilio am loches oddi wrth brotestwyr Cymdeithas yr Iaith Gymraeg. A ble cafodd o gysgod am gyfnod? Wel, yn un o adeiladau TWW – roedd ei gyd-Fonwysyn a mab y mans, Wyn Roberts, yno'n barod i'w gynorthwyo.

Protest fer, swnllyd oedd honno, ond roedd rhai o elynion Cledwyn ymhlith yr aelodau Llafur o Dde

Cymru yn bresennol a'r sibrydion oedd fod y rheiny wedi mynd â'r neges yn ôl i Wilson nad oedd aelod Môn yn cael parch gan ei gyd-Gymry Cymraeg, ac y dylid cael rhywun cryfach yn y Swyddfa Gymreig. Canlyniad hynny oedd bod y Prif Weinidog wedi penderfynu mai'r gŵr i gael trefn ar y penboethiaid ifanc oedd yr aelod dros Orllewin Caerdydd, yr enwog George Thomas – ac yn wir, yn fuan iawn, fe gafodd Cledwyn Hughes ei symud o'r Swyddfa Gymreig a'i benodi i ofalu am y Weinyddiaeth Amaeth.

Y bore wedi'r cyhoeddiad hwnnw, cefais fy anfon i'w holi yn ei gartref yn Nhrearddur. Roedd o'n amlwg yn ddyn hynod siomedig ac roedd o dan deimlad dwys cyn inni ddechrau'r cyfweliad. Wrth gwrs, ddywedodd o ddim byd beirniadol yn gyhoeddus – allai o ddim ac yntau wedi derbyn swydd arall – ond dros baned o de wedyn fe'i gwnaeth hi'n bur amlwg ei fod o wedi'i frifo, ac o ddarllen rhwng llinellau'i sgwrs roedd hi'n amlwg iawn ei fod o'n credu bod ei olynydd wedi bod yn rhan o'r ddrama yn y cefndir i'w symud o o'r Swyddfa Gymreig.

O edrych yn ôl ar yrfa Cledwyn Hughes, rwy'n credu'n bendant ei fod o wedi torri'i galon yn dilyn y symudiad hwnnw ac na fu yna fawr o sglein ar ei yrfa wedyn. Ysgwn i beth fyddai wedi digwydd petai pobl ifanc Cymdeithas yr Iaith Gymraeg wedi dangos mwy o barch tuag ato ar faes Prifwyl Aberafan?

Ond yn ôl at y problemau yr oeddwn i a'm cydweithwyr yng nghwmni TWW yn eu hwynebu. Roedd y misoedd yn pasio a'r cwmni newydd yn mynd i gymryd yr awenau yn 1968. Roedd yna storïau'n dod o

Gaerdydd am fosus Teledu Harlech yn cynnal cyfweliadau gyda'r staff yng Nghaerdydd, ac roedd addewid fod y mwyafrif o staff TWW i gadw'u swyddi – pawb ond Wyn Roberts, y pennaeth, ac ambell uchel swyddog arall. Roedd cyhoeddwyr fel Alan Taylor ac Iris Jones (ac eraill hefyd) yn anffodus yn gorfod mynd. Ond nid oedd arwydd o gwbl bod neb wedi clywed am y criw bach oedd yn llafurio yng ngwinllan Bangor.

Tua dechrau Rhagfyr 1967, dyma neges yn dod fod y mawrion, o'r diwedd, wedi clywed amdanom ac y byddent yn dod i'n gweld i Westy'r Castell ym Mangor ar fore Sul arbennig. Chawsom ni ddim manylion ynglŷn â phwy fyddai'n dod, dim ond gorchymyn i droi i fyny fel criw am hanner awr wedi deg y bore. Roedd hi'n amlwg nad cyfweliadau unigol oedd yn mynd i ddigwydd – roedd y joblot yn mynd i gael cadw'u swyddi neu'n mynd i gael y sac. Doeddan nhw chwaith ddim am weld y tipyn swyddfa oedd gennym yn Caxton House!

Fe ddaeth y bore Sul, a phan godais roedd dinas Bangor o dan fodfeddi o eira a doedd dim posib mynd â'r car o'r garej. Doedd dim amdani ond cerdded y filltir gwta i lawr i Westy'r Castell a chyrraedd jyst mewn pryd. Roedd y criw yno o'm blaen ac yna, ar yr amser penodedig, ymddangosodd y triawd oedd yn mynd i benderfynu ar ein dyfodol. Y tri oedd A. J. Gorard, Rheolwr Gyfarwyddwr Teledu Harlech; W. G. Poeton, dyn busnes llwyddiannus o Orllewin Lloegr, a Dirprwy Bennaeth Rhaglenni newydd y Cwmni, sef Aled Vaughan (gynt o'r BBC). Yn ddiweddarach, yn ei ddull dihafal ei hun, cyrhaeddodd y tafodrydd Wynford Vaughan Thomas, y Pennaeth Rhaglenni ar y pryd.

Cyfarfod cwbl anffurfiol a gawsom ni'r bore hwnnw, ac yn wir, doedd yr un ohonom fawr callach ar derfyn y sgwrs ar wahân i gael ar ddallt y byddai pob un ohonom yn cael llythyr gan y cwmni yn y dyfodol agos. Ond bu'r seiat yn ddigon hir i mi ddod i'm casgliadau fy hun ynglŷn â'r bosus newydd.

O'r funud gyntaf, roeddwn yn hoffi'r pen bandit, A. J. (Tony) Gorard. Teimlwn fod hwn yn ddyn cadarn, geirwir, dyn oedd yn dweud yr hyn oedd o'n ei gredu. Fyddai neb yn cael ei gamarwain gan hwn a byddwn yn hapus yn gweithio o dan ei arweiniad.

Penderfynais y bore hwnnw nad oedd W. G. (Billy) Poeton yn gymeriad cynnes o gwbl. Câi rhywun y teimlad nad oedd ganddo ddim dealltwriaeth o'r maes yr oedd yn ymgymryd ag o – ac yn sicr, doedd ganddo ddim cydymdeimlad â'r Gymru Gymraeg o gwbl. Dyn i'w osgoi fyddai'r Poeton hwn.

Am Wynford Vaughan Thomas ac Aled Vaughan, roedd hi'n anodd penderfynu. Yn amlwg, roedd y ddau yn bobl brofiadol iawn, ond rywsut yn y cyfarfod fe gefais i'r teimlad mai digon ansicr o'u lle yr oeddan nhw.

Yn y pendraw, dim ond un dyn oedd yn cyfrif y Sul hwnnw, a Tony Gorard oedd hwnnw.

Ar derfyn y cyfarfod, holodd am y ffordd i gyrraedd cartref yr Athro Alun Llywelyn Williams, oedd yn un o gyfarwyddwyr y Cwmni. Dywedais fy mod yn cerdded i'r cyfeiriad a phenderfynodd gerdded trwy'r eira gyda mi. Cawsom sgwrs eithaf difyr ar y daith am yr ardal a'r coleg a phethau felly, a phan ddaeth yn amser ffarwelio o flaen ein tŷ ni, estynnodd ei law i mi. Wrth estyn fy llaw innau iddo fonta fe lithrais yn yr eira a disgyn ar fy mhen ôl wrth ei draed. A dyna yntau'n dweud, *'Allright, don't start grovelling – your job is safe.'* Codais ar fy nhraed ac ysgydwais ei law ac roedd o'n dal i chwerthin wrth gyfeirio'i draed i gyfeiriad cartref yr Athro Llywelyn Williams.

Mwynheais fy nghinio'r diwrnod hwnnw, ac fe fu gen i barch mawr i Tony Gorard am weddill y dyddiau y bu'n arwain Cwmni Teledu Harlech.

Fe ddaeth y llythyrau yn cadarnhau ein dyfodol i bob un ohonom yn ei dro, ac o dipyn i beth fe ddaethom i arfer gweithio i'r oruchwyliaeth newydd. Ond roedd yna gryn dipyn o drafferthion yn ystod y misoedd cyntaf a chawsom fwý na'n siâr o streiciau.

Roedd bai ar y ddwy ochr. Roedd undebaeth yn gryf iawn bryd hynny yn y byd teledu masnachol – yn wir, roedd lle i gredu fod undebau fel yr ACTT a'r ETU yn llawer iawn rhy gryf ac yn dangos eu dannedd yn rhy aml. Ar y llaw arall, roedd yna gred fod y drwydded i ddarlledu ar donfeddi teledu masnachol yn drwydded hefyd i greu cyfoeth enfawr i gyfarwyddwyr y cwmnïau – yn enwedig felly'r cwmnïau mawr.

Roedd yna broblem ychwanegol hefyd yng Nghymru a Gorllewin Lloegr. Roedd penaethiaid Cwmni Teledu Harlech yn bobl bur ddibrofiad ar y cyfan, a heb lawn ddeall nad oedd hi'n bosib llwyddo os nad oedd rhyw gymaint o gyfaddawdu gyda'r undebau. O ganlyniad, fe fu'r berthynas rhwng y naill â'r llall yn un digon poenus am gyfnodau go helaeth.

Rydw i'n cofio haf 1968 fel un pan dreuliais wythnos Prifwyl y Barri yn protestio ar faes y Steddfod ac mewn cyfarfodydd streic ym Mhontcanna. Wedyn fe fu yna

120

weithredu diwydiannol lleol pan nad oedd gweddill y diwydiant mewn trafferthion. Ond o dipyn i beth fe liniarodd y teimladau drwg a derbyniodd y rheiny oedd yn dal i hiraethu am yr hen gwmni mai cwbl ddiwerth oedd parhau'r casineb.

O safbwynt fy ngwaith i, roedd yn dda gweld nad oedd Harlech am blygu i'r pwysau i gael gwared o raglen *Y Dydd* am chwech o'r gloch bob nos. Mae'n rhaid talu teyrnged i Wynford Vaughan Thomas ac Aled Vaughan am hynny – yn ogystal, wrth gwrs, â'r Cymry da oedd ar fwrdd y Cyfarwyddwyr: pobl fel Syr Alun Talfan Davies, Lady Amy Parry-Williams, Alun Llywelyn Williams ac Alun Edwards. Bu safiad y rhain dros Gymreictod y cwmni yn gadarn o'r cychwyn cyntaf, ac roedd eu diddordeb yn y gwaith a'r gweithwyr yn arbennig o gefnogol.

Bob tro y byddai'i waith cyfreithiol neu ryw fusnes arall yn dod ag o i'r Gogledd, byddai Syr Alun yn galw i'n gweld ym Mangor, ac roedd ganddo ddiddordeb ysol yn y cynnyrch. Byddai Alun Llywelyn Williams, wrth gwrs, yn galw heibio'n gyson. Yr hyn oeddwn i'n fawrygu oedd na fyddai o byth yn ymyrryd, dim ond dangos diddordeb a chefnogaeth. Peth diarth iawn oedd canfod y fath foneddigeiddrwydd ar fwrdd cyfarwyddo cwmni teledu masnachol.

Ond bu yna golli pobl dda hefyd gyda dyfodiad Teledu Harlech. Gorfu i Wyn Roberts, pennaeth cwmni TWW yng Nghymru, adael. Roedd hynny'n ddealladwy, wrth reswm, gan y byddai'n amhosib i bennaeth cwmni oedd wedi cael ei wrthod gan yr ADA barhau gyda'r cwmni newydd.

Roedd colli Wyn yn ergyd fawr i lawer o'i gydweithwyr. Yn wir, roedd yn ergyd fawr i deledu yng Nghymru gan fod ei gyfraniad i'r gwasanaeth Cymraeg wedi bod yn aruthrol. Fo oedd pensaer y rhaglenni cychwynnol poblogaidd fel *Land of Song* ac *Amser Te* – gyda'r anfarwol Myfanwy Howell – ac mae'n bwysig talu gwrogaeth i Dorothy Williams, y cynhyrchydd, yn y cyswllt hwn. Arbrofodd Wyn hefyd gyda darllediadau byw o Eisteddfod yr Urdd a'r Eisteddfod Genedlaethol – rhaglenni poblogaidd, gwahanol. A dylid cofio, wrth gwrs, mai'r Monwysyn mwyn a gychwynnodd raglenni cwis fel *Siôn a Siân*, *Pwy Fase'n Meddwl* ac yn y blaen.

Y cwestiwn ar wefusau pawb pan fu'n rhaid iddo droi'i gefn ar y diwydiant oedd: 'I ble'r aiff Wyn Roberts rŵan?' A dyna ofynnais innau iddo fo pan alwodd heibio i'r swyddfa fach ym Mangor un pnawn.

'Wel,' medda fo, yn ei ddull dihafal ei hun, 'dwi'n meddwl troi i'r maes gwleidyddol, wsti.'

'Pa blaid?' gofynnais.

'Gawn ni weld,' medda fo. Doedd o ddim am ddweud mwy! Ond ymhen amser fe ddaeth y cyhoeddiad – roedd Wyn Roberts wedi'i ddewis yn ymgeisydd ar ran y Toriaid yn etholaeth Conwy. Ac mae'r gweddill, wrth gwrs, yn hanes.

Ymlafnio

Yn y maes newyddiadurol, roedd y cyfnod hwnnw'n un arbennig o fywiog yng Nghymru – yn enwedig yma yn y Gogledd. Cyfnod yr Arwisgo, cyfnod y protestio a chyfnod y Tywysog yn Aberystwyth.

Fe fûm i'n rhan o'r cyfan. Dwi'n cofio'r ffrwydro ger Llanrhaeadr ym Mochnant, y Swyddfa'r Dreth yng Nghaer a'r Clwb Cymdeithasol ym Mhenisarwaun. O edrych yn ôl, roedd safon y newyddiaduraeth yn affwysol o amaturaidd – a pheryglus yn gyfreithiol.

Meddyliwch am y peth: ITN yn Llundain yn mynnu fy mod yn holi Owain Williams, Gwynys, ynglŷn â'r hyn ddigwyddodd yn Llanrhaeadr er nad oedd gennym unrhyw sail dros fod yn sicr bod ganddo berthynas â'r digwyddiad. A'r syndod oedd bod Owain wedi cytuno i gael ei holi – ond dwi'n siŵr bod ei dafod o o'r golwg yn ei foch pan gytunodd i'm cyfarfod i a'r criw ffilmio ar draeth Dinas Dinlle, o bob man. Chwerthin am ein pennau ni yr oedd o, a phwy allai'i feio? Ond roedd hogia Llundain wrth eu bodd hefo'r stori.

Tro trwstan iawn gefais i ar ôl y ffrwydrad yng Nghaer. Rhywun yn dweud fod yna hen wraig yn un o'r tai bach cyfagos oedd wedi gwrthod symud o'i thŷ. Mynd ati i geisio'i chyfweld – y camera'n troi, a thanio rhes o gwestiynau ati. Dim ateb o gwbl. Roedd yr hen wraig yn fyddar fel post! Doedd hi ddim yn deall fy nghwestiynau i, ac yn bwysicach byth, doedd hi ddim wedi clywed dim o'r ffrwydrad. Roedd hi wedi gwneud ffŵl ohonof!

Ar fore'r llanast ym Mhenisarwaun (lle roedd yna goblyn o glec wedi bod) dyma feddwl am rywun i'w holi a mentro galw yng nghartref Eirug Wyn, y Cymro ifanc twymgalon, a chael ei ymateb o i'r bang ar garreg ei ddrws. Os cofiaf yn iawn, ddaru o ddim derbyn cyfrifoldeb.

Roedd yna ddigon o straeon am yr Arwisgo am gyfnod go hir ac roedd y criw a minnau'n treulio oriau yn nhre'r Cofis. Dechrau, wrth gwrs, hefo'r 'Vox Pops'. Lle da oedd y Dre bob amser am y rheiny.

Cofio gofyn un bore i griw ar y Maes beth oedd eu barn nhw am y Tywysog a dod ar draws yr enwog Wil Napoleon, oedd bob amser yn sicr o ddatgan perl o sylw. Dyna fentro gofyn iddo fo,

'Be ydi'ch barn chi am y "Prince of Wales"?'

A dyma'r ateb yn dod fel ergyd:

'Dwn i'm Duw, ond mae 'na beint da ar y diawl yno.' Doedd dim mwy i'w ddweud, a dwi'n deall i Wil gael ambell beint am ddim yn y Prins am roi hysbys cystal i'r lle ar y bocs.

Roeddwn i wedi clywed hefyd bod pen bandit papurau'r *Herald*, y Prifardd John Eilian, yn addoli'r Tywysog a'i fod o, ar ôl cinio da yn y Black Boy, yn canu *'God Bless the Prince of Wales'* yn ei swyddfa. Felly dyma aros amdano un pnawn pan oedd o ar ei ffordd yn ôl ac yn cerdded ar draws y Maes. Gyda'r camera'n troi, cerddais i'w gyfarfod – roedd o'n amlwg wedi cael cinio da ac yn ei hwyliau. Roedd o'n telynegu am y Tywysog a mentrais ofyn a fyddai'n canu pennill o'i hoff gân. A wir i chi, yno ar y Maes, yn wyneb haul, llygad goleuni, dyma'r Prifardd Golygyddol yn ei morio hi! Wn i ddim beth oedd ei ymateb pan ddangoswyd ei berfformiad ar y teli'r noson wedyn. Beio cinio'r Black Boy, mae'n siŵr! A'm diawlio innau. Ond ddaru o rioed sôn am y peth pan ddaru ni ddod wyneb yn wyneb laweroedd o weithiau wedyn. Roedd John Eilian yn glamp o gymeriad!

Roedd yna glamp o gymeriadau eraill o ansawdd gwahanol o gwmpas Caernarfon yn ystod y cyfnod cyn yr Arwisgo. Un o'r rheiny, y bu'n rhaid i ni fois y cyfryngau fynd i'w bresenoldeb bob hyn a hyn, oedd y Prif Gwnstabl, y Cyrnol Jones Williams. Unben o gymeriad, oedd yn edrych arnom ni fel petaem yn wehilion cymdeithas. Byddai'n cynnal ei fath ei hun o gynhadledd i'r wasg; holl bwrpas yr ymarferiad fyddai rhoi cyfle iddo fo osod y drefn i lawr ac i gyfarth ei sylwadau i'n cyfeiriad. Fe benderfynais yn fuan mai digwyddiadau i'w hepgor oedd y rheiny.

Un arall tebyg iddo fo oedd Dug Norfolk – y dyn hefo'r teitl '*Earl Marshall*'. Y fo oedd pennaeth y sioe fawr a diawl o ddyn oedd o. Roedd ei agwedd yn gwbl ffiwdal a doedd o ddim yn fodlon cyfaddawdu dim i helpu neb.

Roeddwn i yn un o'i gyfarfodydd yng Nghastell Caernarfon un bore, a'r hen foi'n traethu sut oedd pethau'n mynd i weithio. Doedd gen i ddim llawer o ddiddordeb felly dyma fynd am dro ar hyd y muriau ar fy mhen fy hun. Pwy ddaeth i'm cyfarfod ond Iarll Eryri, Tony Armstrong Jones.

Roeddwn yn gwisgo bathodyn y wasg a dyma'r Iarll yn gofyn, '*Are you bored to tears as well?*' Fe ddaeth hi'n amlwg nad oedd o a Norfolk yn fawr o fêts. Ar ôl sgwrs fer, cytunodd i gael ei holi ar gyfer Newyddion Saesneg HTV, ac yn ddamweiniol felly fe gefais sgŵp fach gwbl annisgwyl. Nid fod Tony wedi dweud dim o bwys parhaol ond roedd ei gael o i ddweud gair o gwbl yn dipyn o gamp, ar ddiwrnod pan benderfynodd Norfolk nad oedd o am gael ei holi o gwbl.

Pennod ryfeddol arall yn y cyfnod cythryblus hwnnw oedd arhosiad y Tywysog Charles yn Aberystwyth. Anfonwyd y criw a minnau yno i dreulio'r wythnos gyntaf iddo fod yno a cheisio dilyn y bachgen ymhlith ei ffrindiau newydd yn Neuadd Pantycelyn. Roedd newyddiadurwyr yno o bob rhan o'r byd a thafarnau a gwestai Aber yn gwneud ffortiwn fach ddigon del yn cyfarfod ag anghenion y llymeitwyr sychedig. Roeddan ni i gyd fel gwenyn o gwmpas pot jam yn chwilio am luniau diddorol, ond prin iawn oeddan nhw.

Anghofia i byth y bore cyntaf y cyrhaeddodd y Tywysog am ei wersi yn yr Hen Goleg, mewn car yng nghwmni'r Prifathro, y Dr Thomas Parry. Pan ddaethant allan o'r car, rhuthrodd y pac o helgwn o gwmpas y Tywysog a doedd y Prifathro ddim yn hapus.

Yn sydyn, syrthiodd ei lygaid arnaf fi a chamodd tuag ataf gan awgrymu y byddai'n well imi chwilio am rywbeth rheitiach i'w wneud.

'Gadewch lonydd i'r bachgen,' medda fo, 'a gobeithio y gwnaiff o well defnydd o'i amser yma nag a wnaeth *rhai* pobl dwi'n nabod!'

Doedd y Dr Parry, roedd hi'n amlwg, ddim wedi anghofio 'ngyrfa academaidd i pan oedd o'n bennaeth Adran y Gymraeg ym Mangor – ac roedd o'n falch o'r cyfle i'm hatgoffa o hynny. Cerddodd i ffwrdd a rhuthrodd y pac newyddiadurol ataf i'm holi beth oedd wedi digwydd rhwng y Prifathro a minnau, ond chawson nhw wybod dim. Am resymau cwbl amlwg, doeddwn i ddim am rannu'r gyfrinach am y sgwrs bersonol rhwng dau hen ffrind! Ond mae'n bwysig dweud i'r ddau ohonom gyfarfod ar amrywiol achlysuron wedyn, ac iddo gytuno i gael ei holi gen i ar radio a theledu. Roedd o wedi maddau imi am fy ngwahanol gamweddau, mae'n rhaid.

A bod yn gwbl onest, ymarferiad hynod o ddibwrpas oedd dilyn y Tywysog yn Aberystwyth ac roeddwn i'n eithaf balch pan ddaeth gair o Gaerdydd yn ein hanfon yn ôl i'r Gogledd. Roedd pethau rheitiach i'w gwneud. Os rheitiach hefyd.

Un o'r diwrnodiau hiraf yn fy hanes oedd cael fy anfon i Fachynlleth. Roedd datganiad wedi dod fod Byddin Rhyddid Cymru yn cyfarfod yn nhref Owain Glyndŵr ar ddydd Sadwrn arbennig. Byddai'r Fyddin yn gorymdeithio ac yn cynnal rhyw fath o brotest gyhoeddus am dri o'r gloch y pnawn.

Roeddwn i a'm criw yno'n brydlon ac roedd Hywel Gwynfryn a'i griw yntau o'r rhaglen *Heddiw* yn barod i dystio i'r arddangosiad o rym Cymreig ar strydoedd yr hen dref. Ond ofer fu'r disgwyl eiddgar – roedd y fyddin wedi penderfynu cynnal cyfarfod tactegol yn un o dafarndai'r dref. Byddai'n rhaid i'r wasg a'r cyfryngau aros nes byddai Cayo a Coslett a'r gweddill wedi cwblhau eu cynlluniau.

Aeth tri y pnawn yn bedwar, pump, chwech, saith ac wyth o'r gloch y nos. Parhau i drafod roedd y fyddin ac, yn ôl pob tystiolaeth, roedd y milwyr yn dal yn sychedig. Os oedd y tafarnwr wrth ei fodd roeddan ni, yr hacs, yn gwallgofi. Roedd y gwynt wedi codi a'r glaw yn disgyn a'r brwdfrydedd newyddiadurol wedi hen losgi.

Yna, tua naw o'r gloch, dyma'r fyddin yn ymddangos fesul un a dau ac yn ymgasglu ar waelod Heol Maengwyn. Wedi i Coslett gyfrif y milwyr dyma drefnu ar gyfer yr orymdaith. Y fo oedd â gofal am ddisgyblaeth, a chyda'i filgi wrth ddarn o linyn wrth ei ochr dyma fo'n dechrau gweiddi: 'Chwith! Dde! Chwith! Dde!' ac ymlwybrodd y fintai drwy'r tywydd garw nes cyrraedd Canolfan Owain Glyndŵr. Gwaeddodd Coslett orchymyn annealladwy a daeth y martsio blêr i stop.

Galwyd ar Cayo i ddweud gair ac ymddangosodd rhywun gyda Chyfeiriadur Ffôn trwchus y Canolbarth o flwch teliffon cyfagos. Penderfynwyd mai'r brotest fyddai llosgi'r gyfryw ddogfen Brydeinig. Afraid dweud bod yr ymgais yn fethiant hollol yn y gwynt a'r glaw, ac ar ôl ceisio cael fflam i afael yn y llyfr hanner dwsin o weithiau rhoddwyd y ffidil yn y to. Collodd Coslett ei amynedd, cerddodd yn ôl i gyfeiriad y dafarn a'r milgi wrth ei sodlau. Penderfynodd Cayo a'r gweddill ei ddilyn; aeth Hywel Gwynfryn a'i griw yn ôl tua Chaerdydd a gyrrodd y criw a minnau yn ôl i gyfeiriad Bangor.

O'r diwrnod hwnnw ymlaen, allwn i ddim credu ym Myddin Rhyddid Cymru ac mae'n anodd credu bod y Llywodraeth Brydeinig wedi mynd â'r criw i'r ddalfa a gwastraffu miloedd ar filoedd o bunnau ar brawf cyfreithiol yn Abertawe. Os bu enghraifft erioed o wastraff arian cyhoeddus, dyma hi – ac fe brofwyd hynny'n ddiweddarach, wrth gwrs, pan gafodd John Jenkins a Frederick Alders eu cymryd i'r ddalfa a'u carcharu.

Mae hynny'n dod â mi at brofiad erchyll a gefais yn ystod y cyfnod hwnnw, sef mynd i ffilmio i Ogledd Iwerddon yn y cyfnod pan oedd y casineb mawr ar fin dod i'r wyneb.

Roeddwn i wedi bod ar daith yn Ne a Gogledd Iwerddon ychydig flynyddoedd ynghynt ac roedd y profiad hwnnw wedi bod yn un pleserus iawn. Dilyn Cledwyn Hughes yr oeddwn i'r tro hwnnw; y tro hwn, y pwnc oedd y tyndra oedd yn datblygu rhwng y gwahanol garfannau yn Belfast a Derry.

Fe dreuliais bron i wythnos yn y Dalaith a chyrraedd yno'n gwbl naïf. Doeddwn i ddim yn deall y broblem, ond yn dilyn cyfarfod byr hefo'r Golygydd Newyddion yn stiwdio Teledu Ulster, fe ddechreuais ddod yn ymwybodol fy mod i'n tystio i sefyllfa oedd yn prysur ddatblygu i fod yn un hynod beryglus. Eto, mi fûm i'n ddigon twp i wneud darnau i'r camera yn y Shankill a'r Falls Road a thu allan i garchar Ffordd Antrim.

Y noson honno, roeddwn i wedi trefnu i gyfarfod – yn y gwesty – nifer o Gymry Cymraeg oedd yn byw yn ardal Belfast bryd hynny. Roedd pawb yn groesawus iawn ac yn hynod gymdeithasol, ond bob tro y gofynnwn am gyfweliad o flaen camera doedd yr un ohonynt yn fodlon dweud gair. Roedd y peth yn ddychryn i mi. Roedd pob Cymro a welais yn amlwg yn byw mewn ofn.

Drannoeth aeth y criw a minnau i Derry ac fe fues i'n ffilmio ar stad dai Babyddol y Creggan. Y funud y daethom allan o'n ceir a gosod y camera ar gyfer gwneud darn i'r camera, casglodd criw mawr o blant a phobl ifanc o'n cwmpas. Doedd eu hagwedd ddim yn gyfeillgar – yn wir, fe'i gwnaed hi'n gwbl glir inni nad oedd yno groeso. Diolch i'r nefoedd, o edrych yn ôl, mi fuon ni'n ddigon call i gadw'r camera a phopeth arall a'i heglu hi oddi ar y stad dai mor fuan ag oedd bosib a gyrru'n ôl i Belfast.

Y bore canlynol, roeddan ni ar y ffordd yn ôl am Ddulyn a Chaergybi. Wrth gwrs, o fewn ychydig fisoedd roedd hi'n ffradach yng Ngogledd Iwerddon – ffradach sy'n parhau hyd heddiw.

Mae gen i un atgof pleserus o'r ymweliad hwnnw – fe gyfarfyddais â John Hume, arweinydd yr SDLP. Fe geisiais gyfarfod â'r Dr Ian Paisley hefyd ond fe wrthododd fy nghais. Alla i ddim dweud erbyn heddiw fy mod i'n siomedig gyda'i benderfyniad.

Os oedd y crochan ar fin berwi drosodd yng Ngogledd Iwerddon, roedd yna ddigon o bethau cynhyrfus yn digwydd yng Nghymru hefyd. Roedd protestiadau Cymdeithas yr Iaith Gymraeg wedi dechrau gafael ac roeddwn i'n ffilmio yn y brotest fawr honno yn y Tŷ Mawr, Wybrnant – ar ddiwrnod hynod oer, os dwi'n cofio'n iawn. Dydw i ddim yn cofio llawer o fanylion y digwyddiad na chynnwys yr areithiau, ond rydw i'n cofio aml i gyfeiriad yn ystod y pnawn at bwysigrwydd y brotest ddidrais.

Yn fuan wedyn, roeddwn i'r tu allan i Orsaf yr Heddlu ym Metws-y-coed lle'r oedd rhai o'r aelodau wedi cyfaddef eu bod wedi torri'r gyfraith drwy falurio arwyddion ffyrdd. Roedd criw mawr o gwmpas ac roeddwn i'n recordio sylwebaeth ar ddigwyddiadau'r

130

diwrnod, gan ddal y meicroffôn a darllen fy sgript, pan gefais goblyn o hergwd yn fy nghefn gan rywun oedd yn fy ngalw'n 'gyfryngi diawl'. Alla i ddim bod yn sicr pwy wnaeth, er fod gen i syniad eithaf da mai'r arwr didrais oedd gŵr sydd bellach yn un o arweinyddion awdurdod lleol yn y Gymru fach 'ma. Mae o a finnau wedi dod wyneb yn wyneb ar lawer achlysur ers hynny ond dydi o erioed wedi torri gair â mi, ac er fod yna achlysuron eraill pan allai ac y dylai fod wedi dod i gael cyfweliad â mi, mae o wedi gwrthod bob tro.

A bod yn gwbl deg â Chymdeithas yr Iaith Gymraeg a'i haelodau, doedd y brawd hwnnw a'i berfformiad ym Metws-y-coed ddim yn gynrychioladol. Yn wir, mae gen i gryn dipyn o barch i'r dulliau a ddefnyddiwyd gan y Gymdeithas drwy gydol y chwech a'r saithdegau. Ar y cyfan, roedd eu protestiadau'n hynod ddisgybledig a pharchus o ran iaith, delwedd ac agwedd.

Roedd arweinyddiaeth y Gymdeithas yn y blynyddoedd hynny yn ddeallus ac yn hirben. Dyna pam, mae'n debyg, y cefais fy nghythruddo'n fawr gan ddigwyddiad yn Llys Ynadon Bangor yn y chwedegau hwyr.

Roedd yna griw o aelodau'r Gymdeithas o flaen Mainc Ynadon y ddinas ar gyhuddiad o baentio a malurio arwyddion ffyrdd. Doedd dim dadl ynglŷn ag euogrwydd yr un ohonyn nhw ac roedd pawb yn y Llys yn derbyn hynny.

Roedd yr oriel gyhoeddus yn llawn, ac fel y buasech chi'n disgwyl gyda Chymro pybyr fel y diweddar annwyl Ernest Roberts yn cadeirio a'r clerc unigryw, Evan Lloyd Jones, wrth y llyw, roedd pob gair yn Gymraeg. Wedi gwrando'r dystiolaeth, aeth yr ynadon ddim allan i drafod a chyhoeddodd Ernest Roberts y byddai pob un yn cael dirwy a rhyw gymaint o gostau yr un. Doedd dim gair o brotest o'r oriel. Cododd pawb ar ei draed a dyma rhywun yn taro 'Hen Wlad fy Nhadau'. Arhosodd pawb, gan gynnwys yr ynadon, i ganu ond cyn i'r canu orffen dyma ddau blismon yn rhuthro i ganol yr oriel a llusgo un o'r cyhoedd – bachgen a oedd yn aelod o'r Gymdeithas, Ieuan Bryn Jones, allan o'r llys drwy ddrws a arweiniai i Orsaf yr Heddlu.

Ar unwaith aeth pethau'n ferw gwyllt ymhlith y cyhoedd, diflannodd yr ynadon ac aeth nifer o blismyn ati i glirio'r oriel a gorchmynnwyd i ni, aelodau'r wasg a'r cyfryngau, fynd allan drwy swyddfa'r heddlu.

Cyn gynted ag yr aeth y diweddar Emyr Jones (y newyddiadurwr profiadol o Fangor) a minnau allan, fe welsom ni Ieuan yn eistedd ar gadair mewn ystafell gerllaw. Roedd golwg ofnadwy arno a gwaed yn llifo i lawr ei wyneb o archoll uwchben ei lygad. Aeth Emyr a minnau at y ddesg a gofyn am gael gweld yr Arolygydd a oedd ar ddyletswydd. Y fi oedd yn siarad ond doedd dim croeso pan holais beth oedd wedi digwydd i'r bachgen ifanc a adawodd y llys heb farc arno. Fe wnaeth yr Arolygydd hi'n gwbl glir nad oedd am drafod y mater ac fe gawsom gyngor mai'r peth callaf inni oedd gadael, neu fe fyddem mewn perygl o gael ein harestio am ymyrryd yng ngwaith yr heddlu.

Cerddodd Emyr allan ond roeddwn i'n paratoi i sefyll fy nhir pan afaelodd un o'r plismyn a lusgodd Ieuan allan o'r llys yn fy mraich a'm hebrwng tuag at y drws. Fe arhosodd y criw a minnau y tu allan i'r Orsaf am awr a mwy ac, o'r diwedd, daeth Ieuan allan. Dywedodd iddo gael ei daro gan blismon wedi iddo ddod allan o'r llys, ond wyddai o ddim pwy oedd o. Fe ymddengys iddo hefyd arwyddo dau gopi o ddatganiad a honnai mai taro'i ben a wnaeth ac nad oedd bai ar neb – un copi ar ei gyfer o ac un arall i'w gadw gan yr heddlu. Pan aeth i chwilio am ei gopi'i hun i'w ddangos i ni, doedd dim o gwbl yn ei bocedi. Roedd yr heddlu hefyd wedi awgrymu y dylai ymweld â'r ysbyty i gael triniaeth i'r archoll ar ei lygad. Roedd Ieuan yn dal yn grynedig iawn ond fe wrthododd ein cynnig i fynd ag o am driniaeth.

Meddyliais lawer am y peth yn ystod gweddill y dydd a phenderfynais wneud cŵyn swyddogol bersonol i Heddlu Gogledd Cymru. Cyn hir daeth dau o uchel swyddogion yr heddlu i'm gweld a chefais fy holi'n galed ar ddau achlysur. Fe anfonais gŵyn swyddogol bersonol i'r Swyddfa Gartref yn Llundain hefyd, ac yn y diwedd cefais nodyn byr yn cyhoeddi nad oedd yr ymchwiliad wedi canfod dim bai ar y swyddogion yng ngorsaf yr heddlu ym Mangor y diwrnod hwnnw. Clywais yn answyddogol mai'r esgus a roddwyd (ac a dderbyniwyd) oedd bod Ieuan Bryn wedi syrthio yn erbyn rhyddiadur wrth gael ei arwain allan o'r llys. Sgersli bilîf, meddaf innau.

Doedd dim pwrpas mynd â'r mater ymhellach, a chofiais y beltan a gefais yn Ffair y Borth flynyddoedd ynghynt. Yr oeddwn i, o leiaf, wedi cyfrannu at y digwyddiad hwnnw, ond doedd Ieuan Bryn wedi gwneud dim byd.

Ysgwn i beth oedd cymhelliad y ddau blismon y bore hwnnw? Mae un ohonyn nhw'n dal i fyw yma ym

Mangor, ac efallai y gofynna i iddo fo cyn bo hir ar fore Sul pan mae o ar ei ffordd i'r capel. Amser da, efallai, i ganfod y gwirionedd. Hen bennod drist oedd honno.

Daeth pennod dristach fyth yn ystod oriau mân y bore ar y cyntaf o Orffennaf, 1969 – diwrnod yr Arwisgo yng Nghaernarfon.

Roeddwn wedi noswylio'n eithaf cynnar y noson cynt, gan fod gen i ddiwrnod mawr o'm blaen. Y trefniant oedd y byddwn yn darlledu'n fyw o Gastell Caernarfon – neu'r tu allan i'r Castell – ar ddechrau rhaglen *Y Dydd* y noson honno. Roedd yr holl drefniadau manwl wedi'u cwblhau ac roedd yn rhaid imi fod ar fy ngorau. Roedd rhaid i'r sylwadau fod yn fyr ac i bwrpas – dim eiliad dros dri chwarter munud – a gofalu sefyll yn llonydd nes y cawn yr arwydd i symud ar y diwedd.

Roeddwn wedi bod yn paratoi'n feddyliol am ddyddiau ond, tua dau o'r gloch y bore, dyma'r ffôn yn canu a chyfaill o blismon, oedd bob amser yn barod i'm helpu, yn rhoi neges gryptig i mi:

'Mae 'na rywbeth mawr newydd ddigwydd yn Abergele – alla i ddim dweud mwy. Mae'n well iti fynd yno rŵan.'

Dyma alw'r criw a chael pawb ar y ffordd. Galw gohebydd ITN, Keith Hatfield, oedd yn aros yng ngwesty'r Prince of Wales yng Nghaernarfon a dweud wrtho am y neges – roedd o mewn parti, a doedd o ddim mewn stad i feddwl gyrru i unman.

'You get the pictures and some interviews,' medda fo. *'I'll be there later or I'll get them to send someone else.'* Ac felly y bu.

Roeddan ni yn Abergele erbyn iddi ddechrau gwawrio

a dyna ichi olygfa. Roedd hi'n amlwg fod clamp o ffrwydrad wedi digwydd. Roedd cryn dipyn o ddinistr yno a darnau o gyrff dynol wedi'u chwythu i bob cyfeiriad a phobl yn cerdded o gwmpas mewn dychryn a gofid. Dyma'r olygfa waethaf imi ei gweld erioed.

A bod yn onest, roeddwn wedi cael fy syfrdanu. Cyn deg o'r gloch y bore roeddwn wedi cysylltu â Chaerdydd i'w hysbysu na allwn i ddim meddwl am fynd i Gaernarfon ar gyfer y darllediad byw. Cefais orchymyn i aros yn Abergele ac i geisio casglu cymaint ag a allwn o ffeithiau.

Fe gymerodd oriau i mi a'r pac o hacs a gyrhaeddodd erbyn dechrau'r pnawn i ganfod stori dau o fechgyn lleol a oedd wedi ceisio cario bom enfawr o ganol tref Abergele i'w gosod ar y rheilffordd, yn y gobaith o chwythu'r trên brenhinol yn chwilfriw. Mae'n ymddangos fod y ddau ddyn wedi bod yn llymeitian yn nhafarnau'r dref cyn mynd ati i wynebu'r dasg beryglus yr oedd rhywun wedi'i threfnu ar eu cyfer. Ac, wrth gwrs, fe aeth yr holl gynllun yn ffradach.

Nid fy ngwaith i bryd hynny – na heddiw chwaith, mae'n debyg – ydi awgrymu mai dau ŵr ifanc a laddwyd yn ceisio gweithredu bwriadau rhywun, neu rywrai eraill, oedd Taylor a Jones. Bob tro y clywaf amdanynt fel dau a aberthodd eu hunain dros Gymru, alla i lai na chredu fod dau fywyd ifanc wedi eu gwastraffu a dau deulu wedi cael gofid a thrallod yn gwbl ddiangenraid. Ysgwn i a fydd haneswyr neu newyddiadurwyr y dyfodol yn ddigon dewr i ddilyn gwirionedd y gwastraff hwnnw yn nhref Abergele y noson braf honno o haf 1969?

Mi wn i un peth, dydw i byth eto eisiau gweld y

golygfeydd a welais i'r bore hwnnw gyda thoriad gwawr. Am hynny, yn hytrach na Sioe Fawr Castell Caernarfon, y cofiaf i bob tro y sonnir am Orffennaf y cyntaf y flwyddyn honno. Ych a fi, a mawr gywilydd ar bwy bynnag oedd yn gyfrifol.

Ond roedd yn rhaid mynd yn ôl at y gwaith arferol – dilyn y Tywysog ar ei deithiau o gwmpas Cymru a chadw llygad ar straeon bach diddorol ar hyd a lled siroedd y Gogledd.

Roedd gwanc rhaglen *Y Dydd* am stwff newydd dyddiol yn ddiddiwedd ac roedd Gogledd Cymru yn cael ei lle priodol yn yr haul. Yn wir, roedd y rhaglen yn dal yn boblogaidd – a'r criw yn brysur yng Nghaerdydd, a Sulwyn Thomas yn y Gorllewin a minnau yn y Gogledd fel dau ddaeargi yn tyrchu a dilyn eitemau.

Roedd ein cynhyrchydd, Owen Roberts, yn dal yr un mor frwdfrydig ag erioed ac yn batrwm o arweinydd effeithiol – gŵr o ychydig eiriau, dim gormod o hiwmor ond digonedd o ddeallusrwydd a pharch at safonau. Ond yn fwy na dim roedd o'n gweithio'n galed ei hun, ac yn disgwyl yr un agwedd at waith gan ei staff hefyd. Roedd gen i barch mawr tuag ato a'i agwedd tuag at ei raglen. Roedd ganddo gydweithiwr tebyg iawn iddo'i hun, Mrs Eleanor Mathias – y Golygydd Newyddion – merch arbennig iawn. Roedd hi'n rhoi ei phopeth i'r rhaglen ac roedd ei phryder ynglŷn â chywirdeb ieithyddol yn fwy gwerthfawr na dim. Perl o wraig broffesiynol oedd Eleanor a'i theyrngarwch yn batrwm i bawb. Oeddwn, roeddwn i'n fodlon iawn fy myd yn gweithio i gwmni Harlech ym Mangor.

Yna'n sydyn, un diwrnod, fe ddaeth y newyddion trist

– wel, i mi beth bynnag – fod Owen Roberts wedi'i benodi'n Olygydd Newyddion a Materion Cyfoes i'r BBC i olynu Alan Protheroe oedd yn symud i Lundain. Fel y gellid disgwyl, roedd y newyddion fel ergyd – a'r cwestiwn cyntaf ar dafod pawb oedd, pwy fyddai'n ei ddilyn?

O fewn dyddiau, wrth gwrs, roedd yna bob math o sibrydion a nifer o enwau'n cael eu cynnig, rhai o fewn y cwmni'i hun ac eraill o'r tu allan. Clywsom fod y bosus tua Chaerdydd yn trafod yn anffurfiol gydag aelodau tîm *Y Dydd* – ac yn holi dros beint yn y Clwb a phethau felly pwy efallai fyddai'r person mwyaf derbyniol ar gyfer y gwaith.

Roedd hi'n dod yn fwy a mwy amlwg i mi nad oedd bwriad gan y cwmni i hysbysebu'r swydd yn allanol, ac mai o blith y staff y gwneid y penodiad. Roedd un neu ddau o enwau'n cael eu cynnig o hyd ac o hyd – dau, a dweud y gwir, a fyddai'n gwbl annerbyniol i mi, petai rhywun wedi gofyn fy marn. Fy nheimlad personol i oedd mai dim ond un person allai, ac a ddylai, gael y swydd, sef Eleanor Mathias.

Beth bynnag am hynny, ynghanol y dirgelwch roedd neges yn fy aros yn y swyddfa un pnawn. Roedd yn rhaid i mi fynd i Gaerdydd ymhen deuddydd i gyfarfod Wynford Vaughan Thomas ac Aled Vaughan. Dim mwy o fanylion na hynny. Rhaid oedd ufuddhau, ac ar fy nhaith i lawr yno credwn mai pwrpas y cyfarfod fyddai rhoi gwybod imi beth oedd y penderfyniad ynglŷn â'r olyniaeth ac a fyddwn i'n fodlon derbyn y penodiad newydd.

Fe gyrhaeddais mewn da bryd a gelwais heibio

swyddfeydd *Y Dydd*. Roedd y sibrydion a'r trafod yn ferw a neb yn gwybod dim yn bendant, ond yr oedd un o'r ddau enw a glywais ym Mangor erbyn hyn yn ffefryn poblogaidd. Roedd yntau, yn amlwg, yn credu hynny ond doedd yr awgrym ddim yn fy mhlesio i felly dyma fynd i'r cyfarfod yn barod am dipyn o ddadlau.

Fel y disgwyliais, gyda dau ddyn caredig a theimladwy fel Wynford ac Aled, cwbl anffurfiol oedd y cyfarfod. Doeddan nhw ddim am wastraffu amser, meddai Wynford. Roeddan nhw wedi trafod ac wedi cael sêl bendith Tony Gorard, y Rheolwr Gyfarwyddwr, ac am gynnig y swydd i mi ac am imi ddechrau cyn gynted ag y byddai Owen yn gadael. Roedd gen i dri diwrnod i ystyried y mater ac fe gawn i drafod trefniadau symud i Gaerdydd gyda'r Adran Bersonél ac, wrth gwrs, byddai cynnig swyddogol gyda'r cyflog a'r manylion eraill yn dod yn y post. Roedd yn rhaid cadw popeth yn gyfrinach nes y byddai popeth wedi'i gwblhau.

Sleifiais allan o Bontcanna heb i neb fy ngweld a throi trwyn y car am y Gogledd. Roedd gen i benderfyniad mawr i'w wneud!

Codi Pac a Cholli Angor

Ar un lefel, roedd y cynnig o swydd yng Nghaerdydd wedi dod ar amser digon hwylus. Roedd Eleri'n dod i ddiwedd ei chyfnod yn Ysgol Gymraeg Sant Paul ac, yn nhrefn pethau, fe fyddai disgwyl iddi fynd i Ysgol y Merched ym Mangor, ysgol nad oedd yn enwog bryd hynny am ei Chymreictod. O symud i Gaerdydd byddai'n cael cyfle i fynd i Ysgol Gyfun Rhydfelen, ond ar y llaw arall, ym Mangor yr oedd ei ffrindiau. Yno hefyd yr oedd Eirlys wedi byw erioed ac mi fyddai symud yn gebyst o her iddi hi – ac a bod yn onest, roeddwn innau'n gwbl hapus ym Mangor. Mi fyddai'r tri ohonom yn colli capel Penuel a gweinidogaeth y Parchedig Ifor Williams.

Ond wedi pwyso a mesur, ein penderfyniad unfrydol fel teulu oedd y byddem yn symud ac yn codi gwreiddiau. (A bod yn gwbl onest, rydw i'n dal i gredu nad oedd y penderfyniad hwnnw, o anghenraid, yn un o'r rhai doethaf a wnaethom.)

Beth bynnag am hynny, unwaith yr oedd y cyhoeddiad wedi'i wneud doedd dim amdani ond wynebu'r dyfodol. Felly, ym Mehefin 1970, fe ddechreuais ar fy swydd newydd yng Nghaerdydd.

Anghofia i byth y bore cyntaf hwnnw. Roeddwn wedi gadael Bangor gyda thoriad gwawr i fod yng Nghaerdydd erbyn naw o'r gloch. Roedd y felan go iawn wedi gafael ynof cyn fy mod wedi cyrraedd Dolgellau a chofiaf stopio wrth flwch ffôn ar ôl croesi'r Bannau i alw adref a dweud sut roeddwn yn teimlo. Ond roedd rhaid mynd ymlaen.

Cyrraedd Pontcanna; canfod ble roedd fy swyddfa; cyfarfod Olwen, fy ysgrifenyddes, a mynd i'r cyfarfod cynhyrchu cyntaf am ddeg o'r gloch.

Roedd yn amlwg nad oedd pawb yno'n fy nghroesawu ac roedd arwyddion fod un aelod o'r staff yn ei dagrau. Tasg anodd oedd ceisio cadeirio cyfarfod lle'r oedd cymaint o gasineb a dicter yn bodoli. Fe barhaodd yr awyrgylch felly am rai dyddiau ond, o dipyn i beth, dechreuodd pethau wella.

Dau a fu'n arbennig o gefnogol oedd Peter Elias Jones, un o gyfarwyddwyr y rhaglen, a'r cyflwynydd, Dewi Bebb. Dyn oedd yn aredig ei gŵys ei hun oedd Dewi, bachgen cadarn bonheddig oedd bob amser yn dweud ei farn heb flewyn ar ei dafod ac roedd gen i barch mawr iddo tra bûm i'n cydweithio ag o. Bodau prin ym myd y cyfryngau oedd pobl fel Dewi. Un arall a fu'n help garw imi yn y dyddiau cynnar oeraidd hynny oedd David Nicholas, cymeriad ungiryw ac unigolyddol arall. Clamp o newyddiadurwr, gyda'r hiwmor pigog hwnnw sydd mor brin ymhlith Cymry Cymraeg. Roedd David yn golofn gadarn hefyd mewn cyfnod anodd.

Un peth a ddaeth yn gwbl glir imi wedi derbyn y swydd oedd y ffaith drist nad oedd Cwmni HTV yn gwmni cyfoethog. Beth bynnag a fu hanes teledu masnachol yn y pump a'r chwedegau, gyda'r sibrydion am gyfoeth enfawr a thrwydded i gyhoeddi arian, roedd hi'n stori wahanol ar ddechrau'r saithdegau. Roedd yna ddisgyblaeth lem ar wariant, a'r giaffar, Tony Gorard, yn bencampwr ar gadw trefn ar bethau ac am gael gwybod ymhle a pham yr oedd pob ceiniog yn cael ei gwario. Un peth oedd yn gwbl glir imi, doedd dim gobaith meddwl yn nhermau ehangu staff.

Ond o fewn ychydig wythnosau ar ôl imi ymgymryd â'r swydd fel Cynhyrchydd *Y Dydd*, cefais alwad i gyfarfod gyda Wynford Vaughan Thomas ac Aled Vaughan a dau neu dri arall o'r bosus adrannol yng Nghaerdydd. Roedd cwmni Harlech i'w rannu'n ddwy ran: HTV Wales yng Nghaerdydd a HTV West ym Mryste, gyda dau fwrdd Cyfarwyddwyr a Syr Alun Talfan Davies yn Gadeirydd Cymru. Roedd y trefniant newydd i gael dylanwad mawr arnaf i.

Y neges a ddaeth o'r cyfarfod hwnnw ganol Gorffennaf oedd y byddai gan Gymru raglen newyddion nosweithiol am ugain munud wedi chwech bob nos o ganol Medi ymlaen. Yn wir, byddai *Y Dydd* am chwech, yna'r rhaglen Saesneg yn syth wedyn am ugain munud wedi chwech. Roedd y ddwy raglen yn dod o'r un stiwdios ac i ddefnyddio'r un adnoddau technegol. Byddai'n rhaid newid popeth o ran teitlau a chefndir yn ystod y toriad hysbysebu o ddau funud a hanner. Dyna'r alwad, a doedd dim lle i ddadlau na hawl i gyflogi nifer o bobl newydd.

Roeddwn i'n hynod o ffodus gan fod dau newydd-iadurwr ardderchog yng Nghaerdydd oedd wedi arfer gweithio ar y cynhyrchiad gyda Bryste bob nos, sef Stuart Leyshon a Michael Lloyd Williams – dau hac arbennig iawn, cwbl broffesiynol a brwdfrydig. Penderfynais mai Stuart fyddai golygydd y rhaglen Saesneg ac y byddai Michael Lloyd Williams yn brif gyflwynydd. Allwn i ddim fod wedi gwneud gwell dewis a bûm yn ddigon ffodus i allu perswadio David Nicholas o adran *Y Dydd* i symud i weithio ar y rhaglen Saesneg. Yn ogystal, yn dilyn cyfweliad ardderchog, fe benodwyd Bob Symonds o Drelettert yn Sir Benfro i ymuno â'r tîm. Hefyd fe ddaeth gŵr ifanc o'r enw Emyr Daniel yn syth i lawr o Rydychen i gymryd ei gamau cyntaf ym myd teledu yng Nghymru ar y rhaglen newydd. Cefais ganiatad i benodi un aelod arall ar gyfer tîm 'Y Dydd' a phenderfynais wahodd bachgen dawnus a thalentog o Ynys Môn – gŵr ifanc ag inc yn ei waed a thân yn ei fol. Dyna sut y daeth Vaughan Hughes i gorlan y teledwyr proffesiynol Cymraeg.

Gan bod gan HTV bellach adran newyddion ddwyieithog roedd yn rhaid newid rhyw gymaint ar ddelwedd rhaglen *Y Dydd*. Penderfynais mai rhaglen newyddion galed fyddai hi bellach, yn hytrach na rhaglen nodwedd yn cystadlu gyda *Heddiw* y BBC.

Aeth Richard Morris Jones i gymryd fy lle i yn y Gogledd a pharhaodd Sulwyn Thomas fel gohebydd yn y Gorllewin. Roeddwn i am gael ffilmiau o'r ddwy ardal – ffilmiau'n ymdrin â newyddion y diwrnod. A dyna sut y dechreuodd y drefn o yrru ffilmiau o Gaerfyrddin a Bangor yn ddyddiol. Jim Ley oedd yr arwr yn y Gogledd a Norman Harris yn y Gorllewin – ac arwyr go iawn oedden nhw. Roedd y rhaglenni'n gwbl ddibynnol ar deyrngarwch y ddau yma.

Doedd y drefn newydd ar 'Y Dydd' ddim yn plesio ambell gyflwynydd. Doedd dim cyfle bellach ar gyfer cyflwyniadau blodeuog, myfïol – roedd y pwyslais ar y ffeithiol a'r cryno, ac roedd honno'n bilsen anodd iawn ei llyncu i ambell un!

Ond cyn i'r rhaglenni nosweithiol weld golau dydd, cefais ragor o waith. Roedd yn rhaid i'r adran gyflwyno rhaglen wythnosol yn Gymraeg a Saesneg yn trafod gwahanol agweddau o faterion cyfoes yng Nghymru. Dyna sut y daeth y rhaglenni *Yr Wythnos* ac *Outlook* i fodolaeth. Cefais ganiatâd i benodi gohebydd ychwanegol, a'r un a gafodd y swydd oedd Max Perkins a wasanaethodd y cwmni fel Golygydd Gwleidyddol am ddeng mlynedd ar hugain. Clamp o gymeriad. Y Sais bonheddig ar ei orau a chydweithiwr gwerth ei gael – yn union fel yr annwyl Martyn Williams, a ymunodd â HTV fel ail gyflwynydd a gohebydd ar y rhaglen nosweithiol Saesneg.

Felly, ym Medi 1970, dyma *Y Dydd* yn ymddangos am chwech o'r gloch a *Report Wales* yn ei dilyn. Roedd yr olwyn yn troi yn ddyddiol o wyth o'r gloch y bore hyd saith o'r gloch y nos, ac roeddwn innau'n cael fy nhynnu fwy a mwy i mewn i'r byd cyfryngol – sydd yn gallu llyncu pobl yn hawdd iawn.

Erbyn hyn, roedden ni wedi gadael Bangor ac wedi sefydlu mewn cartref newydd ar gyrion y Brifddinas. Pan ddarllenais y blyrb am y tŷ roedd yr heip geiriol arferol yn honni bod y cyfeiriad – St. Fagan's Court – o ddifrif yn rhan o bentref Sain Ffagan. Ac onid oedd y ffaith bod mawrion y cyfryngau fel Ryan Davies a Margaret Williams yn byw ar yr un stad yn ddigon i'm perswadio ein bod ni yn y lle go iawn? Ond fe ddaeth dadrithiad yn fuan iawn, a hynny ar fore Sadwrn glawog, oer.

Roeddwn i wedi archebu byncar newydd i ddal glo yn y cefn ac wele'r lori'n cyrraedd a dyn gwyllt yn neidio allan â'i lygaid yn melltennu. Dyma'i eiriau cyntaf, â'r galw yn pistyllio:

'Hey mate, what address did you give for this place?'

Atebais innau, 'St. Fagan's Court, St. Fagans' – yn unol â'r blyrb gan y gwerthwr tai.

'Listen pal,' meddai'n wyllt. *'I've been round St. Fagans for the last hour – that's why I'm soaking wet. Don't mislead anybody else. This is bloody Ely – Grand Avenue is just round the corner.'* Be allwn i ddweud ond *'Sorry!'*, a dysgu gwers.

O safbwynt hwylustod teithio i Rydfelen, roedd o'n lle cyfleus iawn. Roedd bws plant Y Barri yn galw heibio gwaelod y ffordd ac yn eu plith nhw y byddai Eleri'n mynd bob dydd. Roedd hi wedi setlo i lawr yn fuan iawn ac fe fu'i holl gyfnod yn Rhydfelen yn hapus iawn o dan brifathrawiaeth Gwilym Humphreys ac Ifan Wyn Williams a'u staff. Yn wir, mae'n dal i delynegu am y cyfleon ardderchog a gynigid i ddisgyblion yr ysgol i ddatblygu'n bobl ifanc oedd yn barod i dderbyn cyfrifoldeb.

Ond os oedd Eleri'n hapus ei byd, digon unig oedd bywyd yng Nghaerdydd i Eirlys. Mae'r ffaith na ddarfu i ni ganfod capel y Tabernacl yng Nghaerdydd fel aelwyd gynnes groesawus ddim yn help chwaith. Does dim dwywaith na fu colli cymdeithas capel yn golled fawr – yn enwedig felly i Eirlys – roedd wedi bod yn gymaint rhan o'i bywyd hi ym Mangor. Ar y llaw arall, fe barhaodd Eleri i fynd i'r Ysgol Sul yn bur rheolaidd a chafodd lawer o bleser yn nosbarth y Barnwr Dewi Watcyn Powell. O edrych yn ôl, efallai na fu i minnau wneud digon o ymdrech i ymdaflu i fywyd yr eglwys.

Roedd y pwysau gwaith yn mynd yn fwy ac yn fwy.

Bob nos Lun roedd yn rhaid sicrhau rhifyn newydd sbon o *Yr Wythnos* – hanner awr o faterion cyfoes Cymraeg – a oedd yn gyfrifoldeb personol i mi. Y fi oedd yn eu cyflwyno a'u cynhyrchu.

Oherwydd cyfyngiadau cyllidol roedd dwy ran o dair o'r rhaglenni'n gorfod bod yn rhaglenni trafod yn y stiwdio ac yna, unwaith bob tair wythnos, roeddan ni'n gallu fforddio paratoi rhifyn oedd yn mynd â ni allan ar ffilm. Golygai hynny, yn amlach na pheidio, fynd allan i ffilmio'n hwyr ar bnawn Gwener; ffilmio, efallai, yng Ngogledd Cymru ar y Sadwrn; teithio'n ôl yn yr oriau mân; treulio'r Sul yn golygu a pharatoi, cyn recordio'r cyfan yn ystod y pnawn Llun i'w deledu am hanner awr wedi wyth yr hwyr.

Ac nid cyfres fer oedd *Yr Wythnos* – roedd hi yno ar yr awyr yn rheolaidd am bedwar deg ac wyth o wythnosau bob blwyddyn, ac fe barhaodd am ddeng mlynedd. Yn ogystal â hynny, wrth gwrs, roedd gennym yr un nifer o'r rhaglen Saesneg *Outlook* i'w paratoi ar gyfer nos Wener. Yr un oedd y drefn yma – rhaglenni stiwdio oedd y mwyafrif a rhyw gymaint ar ffilm.

Yn wyneb y fath bwysau gwaith, a'r cyfrifoldeb am ddarlledu allanol (yn rhannol) o brif wyliau'r genedl – Eisteddfod yr Urdd, Y Sioe Fawr, Eisteddfod Llangollen a'r Eisteddfod Genedlaethol – yn ogystal ag etholiadau a digwyddiadau fel y Jiwbili yn 1977 a pharatoi at Refferendwm Datganoli 1979, fe benderfynodd Tony Gorard fy mod yn haeddu'r teitl Pennaeth Newyddion a Materion Cyfoes HTV Cymru ac, yn y man, cael sedd ar Bwyllgor Rhaglenni'r Cwmni.

Roedd y penaethiaid o Orllewin Lloegr a Chymru ar y

pwyllgor hwnnw, gyda Tony Gorard ei hun yn y gadair. Euryn Ogwen Williams a minnau oedd y ddau gynrychiolydd, ond wedi i Euryn adael braidd yn annisgwyl i dorri'i gŵys bersonol ei hun, fe gymerwyd ei le gan Huw Davies, oedd â chyfrifoldeb am ddrama i HTV Cymru.

Ar un lefel, roedd hwn yn gyfnod hapus i mi cyn belled ag roedd gwaith yn y cwestiwn. Allai neb ofyn am well Pennaeth Rhaglenni nag Aled Vaughan; roeddwn yn cael cefnogaeth lawn gan y Rheolwr Gyfarwyddwr; roedd Syr Alun Talfan Davies a'i Fwrdd Cymreig o gyfarwyddwyr bob amser yn barod i gynnal a sbarduno heb ymyrraeth, ac roedd gen i griw o gydweithwyr eiddgar a brwdfrydig.

Roedd Graham Jones wedi datblygu'n gyfarwyddwr effeithiol – a phobl fel Cenwyn Edwards, Huw Llewelyn Davies, Eifion Lloyd Jones, Glynog Davies, Elinor Jones, Eirwen Davies, Vaughan Hughes (heb sôn am rai a adawodd, fel Sulwyn Thomas a Gwyn Llewelyn) bob amser yn rhoi o'u gorau. Allwn i ddim dymuno am well criw.

Roedd yr un peth yn wir yn Saesneg gyda Stuart Leyshon, Mike Lloyd Williams, Ron Lewis, Max Perkins, Martyn Williams, David Bellin, David Hammond Williams, Gaenor Thomas, Linda Lee a Mike McEvoy. A ble byddai rhaglenni Cymraeg y cyfnod wedi bod heb olygyddion ffilm fel yr unigryw Dafydd Powell a Huw Griffiths ac, yn Saesneg, y gŵr nas gwelais erioed yn gwenu, o'r enw Peter McCarthy? A'r ysgrifenyddesau teyrngar fel Heulwen Jarvis, Rhiannon Andrews a Gill Horwood a llu o rai eraill a fu wrthi – y rhain oedd y bobl, gyda dynion camera fel Gareth Owen, Neil

Hughes, Mike Reynolds a'r gweddill, a wnaeth y cyfan yn bosibl.

Roedd yn gyfnod ardderchog i fod yn ymhél â newyddion a materion cyfoes yng Nghymru. Cyfnod anodd y Llywodraeth Dorïaidd rhwng 1970 a 1974; streiciau'r glowyr; dechrau cau'r diwydiannau mawr trwm; y ddadl ynglŷn â'r Gymuned Ewropeaidd; addrefnu Llywodraeth Leol a ffurfio'r cynghorau sir mawr newydd; protestiadau Cymdeithas yr Iaith Gymraeg am arwyddion ffyrdd a thai haf a'r ymgyrch ar gyfer Refferendwm Datganoli 1979; diflaniad nifer o aelodau Llafur yn 1974... Oedd, roedd cryn dipyn o ferw ym mywyd dyddiol Cymru ac roedd ein rhaglenni ni yn HTV, gobeithio, yn rhoi darlun cytbwys, cywir a diddorol o'r hyn oedd yn digwydd.

Roedd gen i f'athroniaeth bersonol ynglŷn â steil ein rhaglenni. Roeddwn am iddyn nhw fod yn fywiog, diddan a dadleuol. Roedd gen i gred mai dyna'r ffordd i apelio at y gynulleidfa Gymraeg ac roedd hynny'n arbennig o wir ynglŷn â pholisi golygyddol *Yr Wythnos*.

Penderfynais y byddai'r cyflwyniad a'r dull o holi yn torri tir newydd yng Nghymru. Doeddwn i ddim am bedlera'r agwedd fach neis-neis gyfforddus – ac er efallai i'r arddull gythruddo rhai ar y cychwyn, buan iawn y daeth ymateb ffafriol gan y gynulleidfa a'r beirniaid. Y rhyfeddod oedd bod gwleidyddion o bob plaid, y rheiny oedd yn ei chael hi galetaf, yn croesawu'r holi ymwthgar, arthiol a ddefnyddiwn – neu o leiaf roedd y *mwyafrif* ohonyn nhw'n gefnogol.

Wrth gwrs, roedd ambell un yn credu fy mod i'n hen ddiawl cas a rhagfarnllyd ac roedd y feirniadaeth fwyaf yn dod o gyfeiriad rhai cenedlatholwyr, yn enwedig os byddwn i wedi holi'r Dr Gwynfor Evans. Nid ei fod *o* erioed wedi lleisio unrhyw feirniadaeth, na chwaith wedi gwrthod cymryd rhan yn y rhaglenni, ond roedd yna rai o'i ddilynwyr yn credu na ddylid mentro'i groesholi. Cefais fy lambastio mewn galwadau ffôn a llythyrau dienw yn dilyn cyfweliad hanner awr, pan oedd o wedi cyhoeddi ei fod am ei lwgu'i hun os nad oedd y Llywodraeth am ganiatáu sianel deledu Gymraeg. Roeddwn i wedi pechu go iawn.

Reit ar gychwyn cyfres *Yr Wythnos*, fe benderfynodd Aled Vaughan a minnau y buasem yn ceisio ehangu gorwelion teledu cyhoeddus drwy fentro rhoi'n barn olygyddol ein hunain ar bynciau'r rhaglenni, a hynny reit ar ddiwedd y drafodaeth. Aeth popeth yn iawn am rai wythnosau – ond yna'n sydyn, dyma gebyst o helynt.

Pwnc y rhaglen oedd awgrym o gyfeiriad Adran Lenyddiaeth Cyngor Celfyddydau Cymru y dylai'r adran gael llais pendant yn y dewis o destunau ar gyfer adrannau llenyddol yr Eisteddfod Genedlaethol. Y ddadl oedd fod y Cyngor yn ariannu'r Brifwyl ac mai teg oedd i'r Swyddogion gael datgan eu barn.

Gwahoddwyd pedwar i gymryd rhan yn y rhaglen: Meic Stephens, Cyfarwyddwr Llenyddiaeth y Cyngor, yn cael ei gefnogi gan y Prifardd Rhydwen Williams, ac yn cynrychioli'r Eisteddfod yr oedd yr Athro Stephen J. Williams, Llywydd y Llys, a'r Archdderwydd Tilsli. Cafwyd trafodaeth fywiog hyd nes i mi gael arwydd gan y Rheolwr Llawr i gau pen y mwdwl gyda'r nodyn golygyddol. Fy natganiad oedd mai barn y rhaglen oedd mai mater i'r Sanhedrin Eisteddfodol oedd gwneud trefniadau'r Brifwyl ac mai gwell fyddai hepgor ymyrraeth y Cyngor. Dyma gloi'r rhaglen, a daeth y cyfan i ben.

Ond cyn bod neb wedi symud, dyma'r Cyfarwyddwr Llenyddiaeth yn symud i'm cyfeiriad gan weiddi:

'Pa hawl sy' gynnoch chi i ddatgan eich barn? Pwy sydd â diddordeb yn yr hyn sy' gynnoch *chi* i ddeud?'

Erbyn hyn roeddwn i â'm cefn yn erbyn sét y rhaglen a'r dyn yn dal i ddweud pethau cas. Doedd Rhydwen Williams yn dweud dim ac fe welwn yr Athro a'r Archdderwydd yn brasgamu tuag at ddrws y stiwdio ac un ohonyn nhw'n gweiddi:

'Parhaed brawdgarwch.'

Daeth y bennod anffodus i ben wedyn. Aeth pawb adref, ond digon yw dweud mai dyna'r tro olaf i mi gael cyfle i ddatgan barn olygyddol ar *Yr Wythnos*. Chafodd Cyfarwyddwr Llenyddiaeth y Cyngor Celfyddydau mo'i ffordd ei hun gyda'r Steddfod ond fe lwyddodd i ddileu arbrawf newydd mewn teledu Cymraeg, ac efallai mai da o beth oedd hynny yn y pen draw. Ond, yn sicr, nid felly roeddwn i'n ei gweld hi ar y pryd.

Profiad arall yn y cyfnod anturus hwnnw oedd dod benben â'r BBC – yng Nghymru a Llundain. Roedd Dewi Bebb wedi bod yn pwyso arnaf i geisio cael cytundeb y Cwmni i anfon gohebydd ac uned ffilm i ddilyn y Llewod ar eu taith i Seland Newydd yn 1971. Ar y cychwyn, doedd yna fawr o groeso i'r syniad – cost oedd y broblem fwyaf. Digwyddais gael sgwrs gwbl anffurfiol gyda Alun Talfan Davies ac awgrymais y byddai'n bluen yn het y cwmni pe gallem gael lluniau'n ôl ar gyfer ein rhaglenni newyddion. Wedi'r cyfan, roedd yna gynifer o Gymry ardderchog yn y garfan ac roedd yr arwr mawr, Carwyn James, yn hyfforddwr.

Yn union wedi'r drafodaeth honno, dechreuodd yr olwynion droi. A dweud y gwir, o fewn ychydig ddyddiau cafwyd caniatâd i anfon gohebydd ac uned ffilmio o ddyn camera a dyn sain yn unig. Cymaint oedd y brys, roedd Dewi Bebb, Mike Reynolds a Jack Butler ar yr awyren cyn ein bod wedi cael cyfle i gysylltu â Seland Newydd. Penderfynwyd mai gwell fyddai gadael i Dewi, oherwydd ei gysylltiadau, agor y drysau unwaith y byddai wedi cyrraedd ac wedi cael ei draed dano.

Daeth neges yn ôl yn fuan yn cadarnhau bod pethau'n ymddangos yn bur ffafriol o safbwynt Undeb Rygbi Seland Newydd, ond roedd yna broblem fawr arall ar fin wynebu'r triawd. Roedd y BBC yn gandryll o ganfod beth oedd ein bwriad. Roedd ganddyn nhw gytundeb hefo Corfforaeth Ddarlledu Seland Newydd a doeddan nhw ddim am ganiatáu i griw HTV fynd yn agos i'r meysydd.

Roedd Dewi a'i griw yn gwbl obeithiol y gallen nhw gael mynediad, gan fod bosus y Llewod yn gefnogol iawn. Y penderfyniad oedd y byddai'r criw yn aros yno ac yn gwneud eu gorau i gael lluniau o bob gêm posib yn ogystal ag eitemau o ddiddordeb.

Roedd gennym un fantais fawr. Roedd ein ffilm ni yn ffilm liw; darluniau du a gwyn yn unig fyddai gan NZBC a'r BBC. A dyna lawenydd ychwanegol i ni yn HTV oedd gweld y Llewod yn cael hwyl mor dda arni – a bod ein hogiau ni wedi llwyddo mewn amrywiol ffyrdd i gael eu camera i mewn i bob gêm a chael lluniau ardderchog o bob sgôr.

Erbyn diwedd y daith roedd ein cwpan yn llawn a'r sêr yn dod adref wedi trechu'r Crysau Duon. Roedd y cyfan gennym ar ffilm, ond oherwydd y trafferthion cytundebol cyfreithiol doedd gennym ni ddim hawl i'w ddarlledu. Er pwyso a phwyso doedd y BBC ddim am blygu. Ond, diolch i Alun Talfan eto, dyma daro ar gynllun. Golygu'r cyfan at ei gilydd a chreu ffilm gyfansawdd dros awr o hyd yn cymryd golwg ar y gemau ynghyd â'r daith – a'r cyfan gyda sylwebaeth Carwyn James a Dewi Bebb. Bu Dafydd Powell a Dewi yn gweithio fel lladd nadredd i gael y cyfan i fwcwl, ac wedi sicrhau pawb fod gennym gynhyrchiad oedd yn haeddu cael ei deledu, dyma gymryd cam tactegol i sicrhau hynny.

Roedd tîm Cymry Llundain yn chwarae yng Nghaerdydd ar Sadwrn arbennig, a dyma wahodd pawb oedd yn rhywun ym mywyd chwaraeon, dinesig a gwleidyddol Cymru i ddod i fwynhau gwylio'r ffilm a chael pryd o fwyd wedyn.

Alun Talfan Davies a fu'n siarad ac yn dweud wrth y gwesteion eu bod yn griw lwcus iawn – y nhw oedd yr unig rai fyddai'n gweld y cynhyrchiad a hynny am resymau cytundebol a chyfreithiol. Onid oedd o'n drueni, meddai, fod y gwylwyr yn colli'r cyfle i weld y fuddugoliaeth fawr mewn lliw, gyda sylwadau'r cawr, Carwyn James?

Yr wythnos ddilynol, cychwynnodd y *South Wales Echo* ymgyrch yn galw am ymarfer doethineb er lles cefnogwyr y gêm, ac o fewn cyfnod byr iawn – gyda help pobl fel Michael Roberts, yr Aelod Seneddol dros ran o Gaerdydd – fe gafwyd y maen i'r wal.

Fe deledwyd y ffilm, a ddaeth i fod drwy ddyfalbarhad y triawd Dewi Bebb, Mike Reynolds a Jack Butler. Roedd y tri ar ben eu digon ac roeddwn innau hefyd yn hynod o falch nad yn ofer y bu'r holl bryderu dros gyfnod o wythnosau. A dwi'n falch o ddweud fod yr annwyl Cliff Morgan – oedd yn cynrychioli'r BBC yn Seland Newydd ar y daith honno – yn dal i siarad â mi'n fuan iawn wedi'r ddrama.

Yn fuan wedi hyn, daeth profedigaeth bersonol i'm rhan i. Roedd Mam wedi cael strôc eithaf difrifol ond ymddangosai fel petai'n araf wella. Bu fy nau frawd, ac yn arbennig fy chwaer a'i gŵr, yn hynod garedig a gofalus ohoni. Yn wir, fe symudodd hi i fyw hefo nhw. Ond, yn sydyn, fe ddigwyddodd rhywbeth a chefais neges ei bod hi'n ddifrifol wael ac yn Ysbyty Druid yn Llangefni.

Pan gyrhaeddais o Gaerdydd roedd hi'n wael iawn, ac wn i ddim i sicrwydd a fu iddi f'adnabod ond roedd ei dagrau'n llifo. Fe ddaeth y diwedd yn fuan wedyn ac fe gafodd hithau ei hebrwng i fynwent Peniel i ymuno â 'Nhad.

Diwrnod trist iawn yn fy hanes oedd y diwrnod hwnnw. Y hi oedd y dylanwad mwyaf ar fy mywyd i, ac wrth droi cefn ar y fynwent fe deimlais y golled fel cyllell. Afraid dweud mwy, dim ond cadarnhau mai 'Cledd â min yw claddu mam'.

Doedd dim amdani ond mynd yn ôl i Gaerdydd ac ailafael yn y gwaith.

Bagad Gofalon

Roedd llywodraeth Ted Heath mewn grym yn Llundain ac roedd glowyr Cymru, fel gweddill gwledydd Prydain, ar streic. Roeddan ninnau, newyddiadurwyr, yn gwledda ar y stori a chymeriadau mawr Undeb y Glowyr yng Nghymru yn dod i'r stiwdio i gael eu holi ac i ddatgan eu pregeth, a neb yn fwy effeithiol na'r annwyl Dai Francis.

Os bu cymeriad erioed, Dai oedd hwnnw. Mi fûm yn ei holi ddegau o weithiau a'i gael bob amser yn gwbl ddiwyro a disymud. Ei osodiad mawr bob amser, pan fyddwn yn gofyn cwestiwn go galed, oedd: 'Nonsens parod, frawd!'

Yn y cyfnod pan oedd y streic ar ei hanterth, a minnau'n eistedd yn disgwyl am yr arwydd i gychwyn rhaglen fyw, dyna lle byddai'r hen Gomiwnydd annwyl yn mwmian geiriau'r emyn 'O mor hoff yw cwmni'r brodyr, Sydd â'u hwyneb tua'r wlad.' Pleser a braint fu cael ei adnabod ac roeddwn i'n falch o allu cynhyrchu rhaglenni teyrnged iddo pan fu iddo ymddeol. Clamp o werinwr unigryw.

Un tebyg iawn iddo oedd S. O. Davies, yr aelod dros Ferthyr Tudful – y gŵr a benderfynodd herio'r Blaid Lafur wedi iddo gael ei esgymuno ganddi. Safodd fel Llafur Annibynnol a chadw'i sedd. Cawr arall, dyn unplyg a chadarn.

Profiad tra gwahanol ddaeth i'm rhan gyda James

153

Callaghan, a ddaeth yn ddiweddarach yn Brif Weinidog. Roedd o'n un o arweinwyr yr wrthblaid Lafurol pan ddaeth o i Gaerdydd i gael cyfarfod gyda'r Arglwydd Faer. Roedd yna gynlluniau ar droed i gau gwaith dur mawr East Moors yn y brifddinas, gwaith a oedd yn etholaeth Jim Callaghan.

Penderfynwyd gwahodd yr Aelod Seneddol i gymryd rhan yn y rhaglen *Report Wales*. Cytunodd ei asiant y byddai'n dod ond yna gofynnodd beth fyddai'r tâl, a dywedwyd wrtho y byddai'n cael pymtheg punt fel pob aelod seneddol arall. Yr ateb oedd nad oedd Mr Callaghan am ymddangos am lai na phum punt ar hugain. Ond, meddwn i, mae hwn yn fater etholaethol. Gwrthod fu'i hanes. Dyma'r union ddyn a honnodd, yn ystod y gaeaf ofnadwy hwnnw pan oedd o'n Brifweinidog, bod yn rhaid i weithwyr Prydain dderbyn cildwrn o gyflog. Fu gen i fawr o barch iddo fo o'r diwrnod hwnnw ymlaen.

Fe fu'r swydd o fod yn Bennaeth Newyddion a Materion Cyfoes yn gyfrwng imi ddod i adnabod gwleidyddion Cymru yn bur dda. Mae rhywun yn cofio Peter Thomas (a oedd erbyn hyn yn aelod dros ran o Hendon) yn Ysgrifennydd Cymru – gŵr y byddai'n rhaid inni anfon cwestiynau ar gyfer cyfweliadau Cymraeg ato yn Saesneg; cael ei atebion wedyn yn Saesneg a ninnau'n eu cyfieithu i'r Gymraeg; eu sgwennu nhw ar gardiau mawr a'u dal nhw o'i flaen o ac yntau'n eu darllen yn eitha da mewn acen un o hogia Llanrwst. Ddaru ni erioed fentro rhoi rhywbeth cwbl gamarweiniol ymhlith un o'r atebion. Wn i ddim a fyddai o neu un o'i weision bach oedd gydag o wedi sylwi ar hynny ai peidio. Ond gwell oedd peidio ceisio bod yn glyfar!

Mae gen i un atgof arall amdano. Roeddwn wedi'i hebrwng at y drws ffrynt ym Mhontcanna ac roedd o ar fynd i mewn i'w gar pan ddaeth y Dr Gwynfor Evans o un cyfeiriad a Wynford Vaughan Thomas o'r cyfeiriad arall. Ac yng nghlyw'r ddau, dyma Wynford yn gweiddi, 'Y gorffennol yn mynd a'r dyfodol yn dod.' Gosodiad cwbl annisgwyl, ond pur arwyddocaol o edrych ar bethau yng Nghymru heddiw – neu o leiaf fel yr oedden nhw cyn etholiad y Cynulliad ym Mai 2003.

Rwy'n cofio ymweliadau cyson George Thomas â'r stiwdios yn nechrau'r saithdegau. Dwi'n cofio cael paned hefo fo unwaith pan ddechreuodd fwrw'i lid ar aelodau Cymdeithas yr Iaith Gymraeg, a'r frawddeg fawr y pnawn hwnnw oedd, *'They grate my Tonypandy nerves.'*

Ei gofio hefyd yn ffonio un bore Llun fel gafr ar daranau a'i frawddeg gyntaf oedd, *'Gwilym, where is the cameraman? Mam has been ready since eight o'clock.'* Finnau'n gorfod cyfaddef nad oeddwn yn deall am beth roedd o'n siarad. *'It's her birthday today. She's eighty-five and Wynford promised me on Friday night that there would be a cameraman here this morning.'*

Bu'n rhaid tawelu George ac anfon dyn camera draw i dynnu llun o Mam ar ei diwrnod mawr. Cafodd yr hen chwaer chwarter munud o le ar *Report Wales* y noson honno a chafodd y Bonwr Wynford Vaughan Thomas air o gyngor mai gwell oedd peidio gwneud addewidion yn hwyr ar nos Wener pan oedd o'n orlawn o ysbryd brawdgarwch a charedigrwydd.

Gŵr yr oedd gen i barch mawr iddo yn y cyfnod

hwnnw – ac mae'r parch hwnnw'n dal o hyd – yw'r Arglwydd Morris o Aberafan. Pan benodwyd John Morris yn Ysgrifennydd Cymru yn 1974 fe gytunodd i wneud ei gyfweliad hir cyntaf ar raglen *Yr Wythnos,* ac fe gefais i'r pleser o'i holi ar amrywiol achlysuron yn ystod y pum mlynedd y bu'n gofalu am y Swyddfa Gymreig.

I mi, roedd o'n batrwm o Weinidog. Roedd o'n gweithio'n hynod o galed, roedd ganddo weledigaeth bendant ac fe wnaeth ddiwrnod arbennig o waith tra yn ei swydd. Mae rhywun yn meddwl yn arbennig am ddatblygiad yr M4, sefydlu Awdurdod Datblygu Cymru ac Awdurdod Datblygu'r Canolbarth, heb sôn am ei gyfraniad mawr gyda Michael Foot a John Smith yn paratoi ar gyfer Mesur Datganoli i Gymru a Refferendwm 1979.

Ond fe gefais i'r teimlad ar amrywiol achlysuron nad oedd nifer o aelodau Seneddol Llafur yng Nghymru yn gwbl gefnogol iddo. Wrth gwrs, mae pawb yn cofio am grwsâd Neil Kinnock a Leo Abse i ladd y mesur datganoli. Rwy'n cofio eistedd yn swyddfa Leo Abse gyda'r gohebydd gwleidyddol ardderchog sy'n dal i wasanaethu HTV – Mike Steele. Dyma fentro gofyn i'r Aelod dros Bontypŵl oedd o am ddinistrio Mesur ei blaid ei hun? Roedd o'n bendant ei fod o. Minnau'n gofyn wedyn, wel sut? *'Political acumen, my boy,'* oedd yr ateb swrth a gefais i. Aeth Mike a minnau oddi yno wedi'n perswadio nad oedd dim yn mynd i newid ei feddwl. Doedd o'n sicr ddim yn cefnogi John Morris.

Pennod arall ryfeddol a brofodd i mi fod gan Ysgrifennydd Cymru elynion o fewn i'w swyddfa'i hun oedd galwad ffôn gan Barry Jones, yr Is-Ysgrifennydd

Gwladol. Roedd o am fy ngweld i'n breifat. Dyma deithio i Lundain a chyfarfod, yn ôl y trefniant, yn y *Central Lobby* yn y Tŷ Cyffredin.

Ar ddiwrnod glawog, oer dyma fo'n f'arwain yn llwynogaidd i lawr y grisiau ac allan â ni ar y teras. Doedd o ddim am i neb ein gweld. Y cyfan oedd o am ddweud oedd ei fod o'n credu fod ei fos yn barod i aberthu dyfodol gwaith dur Shotton (oedd yn ei etholaeth o, Barry Jones) er mwyn sicrhau y byddai gwaith Port Talbot yn cael ei gadw – gwaith a oedd yn etholaeth John Morris, wrth gwrs. Byrdwn pellach ei neges oedd y byddai'r bos yn colli os deuai'n fater o benderfynu rhwng y ddau le.

'*You see,*' meddai'r Bonwr Jones, '*Harold supports Shotton – it's close to Huyton*' (etholaeth Wilson, y Prif Weinidog). '*I wanted you to know that,*' medda fo, cyn fy hebrwng yn ôl i'r *Central Lobby* a diflannu i lawr un o'r coridorau. Os bu siwrnai seithug i Lundain erioed, honno oedd hi, ond fe ddysgais i un peth sef nad oedd yna fawr o gariad brawdol yn Swyddfa Cymru y dwthwn hwnnw.

Dwi'n cofio cyfweld yr Arglwydd Cledwyn, neu Cledwyn Hughes fel yr oedd o bryd hynny, wedi i Richard Crossman fod yn eithaf dychanol ohono fel aelod o gabinet Llafur ar ddiwedd y chwedegau. '*Cipher*' oedd gair Crossman i ddisgrifio Cledwyn. Dyma roi cyfle iddo yntau ddisgrifio Crossman:

'Na,' medde fo, 'hwyrach y daw cyfle eto, pan fyddaf *innau* yn sgwennu fy hunangofiant.'

Am yr ail dro yn ei fywyd fe welais i aelod Ynys Môn

157

wedi'i frifo ac wedi gwylltio – ond eto, roedd o'n ddigon doeth i ymdawelu.

Doedd o ddim cweit mor gyfeillgar mewn sgwrs breifat yn dilyn y bennod pan fu i Neil Kinnock godi crachen plant bach Ynys Môn yn pi-pi yn eu trowsusau am nad oedd ganddyn nhw ddigon o Gymraeg i ofyn i'w hathrawon am ganiatâd i fynd i'r toiled. Roedd o'n gythreulig o ddig, ac yn amlwg yn credu fod Kinnock wedi gweithredu yn gwbl annerbyniol!

Mae'r atgofion eraill yn rhy niferus i wneud dim ond cyfeirio atyn nhw. Fy hen giaffar, Wyn Roberts, yn colli'i limpyn mewn ambell gyfweliad a finnau'n gwybod hynny pan fyddai'n poeri'i frawddeg Fonwysaidd gyfarwydd tuag ataf: 'Peidiwch â siarad drwy eich het'.

Aelod Caernarfon, Goronwy Roberts, wedyn ar gefn ei geffyl gwrth-genedlaetholdeb ac yn gweiddi o'r stiwdios yn Llundain am y 'gwenwyn pleidllyd' oedd ar droed yng Ngwynedd; yna'r siom a'r surni yn ei gartref ym Mhwllheli ddeuddydd wedi colli'i sedd, a'r gwahaniaeth yn ei agwedd pan ddaeth ffôn o Nymbar Ten yn dweud ei fod o'n cael cynnig Arglwyddiaeth a swydd yn y Swyddfa Dramor.

Holi tri Llafurwr arall a syrthiodd yn etholiadau 1974 a chanfod nad oedd fawr o frawdgarwch diffuant rhwng Elystan Morgan, Wil Edwards a Gwynoro Jones.

Cofio hefyd teithio i Lanwrtyd ar fore Sul i gyfweld Emlyn Hooson, aelod rhyddfrydol Trefaldwyn, gŵr a fu bob amser yn barod iawn i gyfrannu'n effeithiol i'n rhaglenni. Ond ar y bore hwnnw, roeddwn i'n mynd i'w holi am fywyd personol ei arweinydd, Jeremy Thorpe, a'r trafferthion yr oedd ynddynt. Yn ôl ei arfer, yr oedd

Emlyn Hooson yn gadarn a phendant ei farn ond yn hynod ddoeth a gofalus wrth ei fynegi'i hun – ond roedd hi'n gwbl amlwg fod Jeremy Thorpe yn gwbl wrthun iddo. Profiad cofiadwy iawn oedd y cyfweliad hwnnw.

Mi allwn fynd ymlaen ac ymlaen i sôn am gymeriadau a digwyddiadau eraill ym myd gwleidyddol Cymru yn ystod yr wyth mlynedd a hanner y bûm i'n eistedd yn y gadair olygyddol yng Nghaerdydd. Ond roedd yna hefyd ddigon o agweddau diddorol eraill i'r gwaith.

Pethau fel hyn yn ein gwyliau cenedlaethol. Penderfynu cyflwyno rhaglenni o Brifwyl yr Urdd a'r Genedlaethol yn ddwyieithog a chael ymateb hynod o ffafriol. A phwy allai fethu gyda dau gyflwynydd fel Elinor Jones a Michael Lloyd Williams? Arbrofi gyda darllediadau boreol o'r Eisteddfod a thorri tir newydd drwy ddilyn straeon newyddiadurol go iawn ar y Maes, ond gofalu bob amser nad oedd rhywun yn ceisio efelychu hacs print Caerdydd a thorri cyfrinachau'r prif gystadlaethau ymlaen llaw.

Ond mae'n rhaid cyfaddef ei bod hi wedi bod yn glamp o demtasiwn i dynnu sylw at sgandal y Gadair yn Eisteddfod Aberteifi yn 1976. Roedd yr holl fanylion wedi dod i'm sylw ar y penwythnos cyn yr Eisteddfod a chefais gyfarfod gyda'm cyfaill, Idris Evans, y Trefnydd, a dywedais wrtho beth oedd y sefyllfa. Gofynnais iddo gadarnhau, ond gwrthododd wneud unrhyw sylw – ac felly bob dydd hyd y pnawn Mercher pan awgrymodd fy mod yn anghywir. Felly gofynnais iddo a gawsem fenthyca'r gadair ar gyfer rhaglen *Y Dydd* o'r maes y noson honno. Dyma gloi'r rhaglen drwy ofyn y cwestiwn – tybed ai *un* bardd ynteu *dau* fydd yn eistedd yn y gadair hon yfory? Dyna'r pellaf imi fynd erioed ar fater cyfrinachedd y Gadair a'r Goron. Ac ar ryw hen fêt o ddyddiau Coleg yr oedd y bai am hynny. Coffa da am yr hen Idris!

Mae sôn am y Brifwyl yn f'atgoffa o'r hwyl a gawsom ar hyd a lled Cymru yn ystod yr Eisteddfodau. Byddai'r un criw ohonom yn aros yn yr un lle – nifer o staff HTV, ynghyd â chriw o gyfeillion oedd rywsut wedi tynnu at ei gilydd: y ddau frawd Alun a Glyn Pierce, Selwyn Griffith, Arthur Williams a Gerald Williams o'r *Daily Post*, a John Thomas, y newyddiadurwr o Langefni a'i gyfaill, Bob Owen. Cawsom oriau lawer o hwyl diniwed ymhlith pobl bro'r Eisteddfod ac yn gwrando ar yr hen wariar, Alun Pierce, yn canu ac yn diddanu gyda'i hiwmor arbennig ei hun.

Oedd, roedd y cyfnod hwnnw'n gyfnod hynod o hapus i mi – er bod y gwaith yn galed, a phob rhaglen ddim yn cyrraedd y nod o bell ffordd. Ac fe gefais i'n bersonol fy siâr o'r rhaglenni hynny!

Gallaf feddwl am un gyfres gyfan hefo John Morgan. Cyfres yn cymryd golwg ar yr wyth awdurdod lleol yng Nghymru, o dan y teitl *Who Runs Wales?* O'r cychwyn cyntaf bu'r cyfan yn dipyn o shambyls, ac mi ddysgais i un peth sef mai cythreuliaid o bobl hunanbwysig a hunangyfiawn oedd y mwyafrif llethol o'r tywysogion newydd oedd yn weinyddwyr ac yn gynghorwyr ar hyd a lled Cymru. Dwi'n weddol sicr bod y rhan fwyaf ohonyn nhw wedi gwneud eu gorau glas i ddinistrio cynlluniau John Morris i ddatblygu datganoli i Gymru. Yn wir, rydw i'n cofio Syr Ben Bowen Thomas, un o gomisiyn-wyr Crowther/Kilbrandon (a argymhellodd fesur o ddatganoli) yn ymateb i gwestiwn a roddais iddo fo wedi cyhoeddi'r adroddiad:

'Mae Cymru ar y ffordd i ryddid, felly,' meddwn i wrtho.

'Na,' oedd ei ateb. 'Y Tywysogion yn yr hen amser,' medda fo, 'a laddodd y cais i ryddhau Cymru. Mae gan Gymru wyth tywysogaeth newydd bellach ac mi wnaiff y tywysogion newydd eu gorau glas, coch a gwyrdd i sicrhau na ddaw datganoli y tro hwn chwaith.'

Ac roedd o'n gywir. Gyda help ffrindiau fel Kinnock ac Abse fe gawson nhw'u maen i'r wal, ac ymhlith y gwrthwynebwyr pennaf yr oedd cynghorwyr Plaid Cymru ar Gyngor Sir Gwynedd.

O sôn am Blaid Cymru, mae'n werth imi nodi imi, mae'n debyg, dorri rheolau'r IBA am rai blynyddoedd drwy sicrhau bod Cynhadledd Plaid Cymru yn cael hanner awr o ocsigen cyhoeddusrwydd ar raglen *Yr Wythnos* – rhywbeth nad oedd yr un o'r pleidiau eraill yn ei gael. Ag eto, trwy gydol y cyfnod yr eisteddais yn fy nghadair yn HTV, doedd y cenedlaetholwyr byth yn colli cyfle i awgrymu fy mod yn elyn mawr i genedlaetholdeb.

Mae'n eironig meddwl mai fi oedd y gŵr oedd yn cynrychioli HTV yn y Gynhadledd honno yn Llan-dudno, pan bleidleisiodd y cynrychiolwyr i fwrw'r cwmni allan o'r gynhadledd am ei fod yn gwrthwynebu sefydlu'r sianel deledu newydd. Felly, yn lle cael adroddiad hanner awr o ddigwyddiadau'r gynhadledd y nos Lun ddilynol, yr hyn a deledwyd oedd dadl rhwng Dafydd Wigley a Jennie Eirian Davies ar ddoethineb y taflu allan a minnau'n eistedd yn y canol yn gwrando ar ddau genedlaetholwr yn dadlau â'i gilydd. Dim gair am bolisïau na phenderfyniadau. Rhai da ydan ni'r Cymry am golli cyfle, ynte?

Siom a Rhwystredigaeth

Un teulu oedd criw HTV. Roedd yr awyrgylch ym Mhontcanna yn un hynod o hapus ac roedd delwedd gyhoeddus y cwmni, gyda thalent arbennig David Meredith wrth y llyw cysylltiadau a chyfathrebu, yn un llewyrchus iawn. Polisi 'drws agored' oedd gan David – hyd yn oed i feirniaid a phrotestwyr, fel y gall aelodau Cymdeithas yr Iaith Gymraeg ar y pryd gadarnhau. Roedd yna ryw gyfeillgarwch rhyfeddol rhwng aelodau'r staff hefyd a chydweithio hapus rhwng y gwahanol adrannau.

Criw hapus a chwareus iawn ar y pryd oedd y criw oedd yn cymryd rhan yn yr Adran Blant – adran lewyrchus tu hwnt o dan arweiniad Peter Elias Jones. Pwy all anghofio llwyddiant *Miri Mawr*, a chymeriadau Caleb, Dan Dŵr, Llew, Blodyn Tatws a'r Dyn Creu? Roedd plant Cymru wedi ffoli arnyn nhw. Ond mae'n rhaid imi sôn am un o'r troeon mwyaf trwstan a ddaeth i'm rhan i erioed, diolch i'r criw arbennig yma!

Roedd hi'n ddiwrnod mawr i HTV gyda'r Fonesig Plowden, Cadeirydd yr IBA, yn dod i Bontcanna ynghyd â'r Prif Weithredwr, Sir Brian Young. Roeddwn i i'w cyfarfod yn y dderbynfa tua hanner awr wedi un, ac am unwaith roeddwn i'n gwisgo siwt. Yn eistedd yn y dderbynfa, hefyd, yn eu gwahanol wisgoedd, yr oedd criw *Miri Mawr*. Fe ofynnais iddyn nhw – yn foneddigaidd – a fuasen nhw'n ystyried symud i'r ffreutur gan fod Lady Plowden ar ei ffordd. Wel, roedd hynny'n jôc fawr yn eu golwg nhw. Dyna lle'r oeddwn i fel gafr ar d'ranau yn fanno, a Dafydd Hywel, John Pierce Jones, John Ogwen, Robin Griffith, ac wrth gwrs y Dyn Creu ei hun, Dewi Pws, yn cael hwyl am fy mhen. Doedd dim amdani ond gobeithio'r gorau.

Cyrhaeddodd y car mawr a Lyn Evans o'r IBA yng Nghymru yn arwain Sir Brian Young a Lady Plowden i'r adeilad ac yn fy nghyflwyno i'r Fonesig. Pan oeddwn ar fin ysgwyd llaw â hi dyma'r Dyn Creu, â'r gannwyll a'r cap nos, yn dod rhyngom a dweud,

'Don't take any notice of him, Lady Plowden. He's pissed!' – ac i ffwrdd â fo. Ymddiheurais gystal ag y gallwn ond doedd hi'n amlwg ddim wedi'i phlesio. Doedd dim amdani ond ei harwain i Ystafell y Bwrdd i gyfarfod Tony Gorard a phawb arall oedd yno'n aros amdani. Ddywedodd hi ddim bryd hynny am groeso Dewi Pws – beth bynnag ddywedodd hi wedi imi fynd – a chlywais i ddim mwy am y peth.

Dros y blynyddoedd, mae'r brawd Pws wedi chwarae nifer o driciau bach eraill arnaf, ond cynt y cyferfydd dau ddyn na dau fynydd! I fod yn deg ag o, fe fu'n gymorth mawr i mi pan ddaeth Cenwyn Edwards â'r syniad o ffilmio cyngerdd ffarwel Edward H. Dafis ym Mhafiliwn Corwen. Cytunais ar unwaith, ar yr amod mai dim ond HTV fyddai â'r hawl i fod yno – a diolch i gydweith-rediad Pws a'i ffrindiau, dim ond ar *Yr Wythnos* y nos Lun ddilynol y gwelwyd y lluniau o'r noson fawr hanesyddol honno. Roedd llwyddo i olygu'r cyfan mewn ychydig oriau yn gebyst o gamp, ac fe wn i fod y ffilm wedi diddanu cynulleidfaoedd ar hyd a lled Cymru am flynyddoedd wedyn.

Darlun o hapusrwydd a llawenydd rydw i wedi'i baentio hyd yma ond eto roedd yna rai pethau ynglŷn â'r cyfnod oedd ddim cweit mor braf. Roedd hi'n eithaf amlwg i mi fod yna garfan fechan o fewn staff y cwmni – Cymry Cymraeg – oedd ddim yn hollol gyfforddus gyda thwf yr Adran yr oeddwn i'n gyfrifol amdani.

Mewn sgyrsiau bach anffurfiol gydag Aled Vaughan y daeth yr amheuon i'r amlwg. Nid fy mod i'n credu am funud fod Aled ei hun yn rhan o'r criw crablyd, ond roedd o'n codi cwestiynau rhyfedd. Oeddwn i ddim yn teimlo fod fy null i o holi ar *Yr Wythnos* yn rhy galed, ddadleuol? A oeddwn i'n rhy hoff o greu dadl? Ai fi, fel pennaeth, a ddylai fod yn holi beth bynnag? Beth fyddai'n digwydd petawn i'n cael fy hun mewn dŵr poeth gyda'r pleidiau gwleidyddol? Oni ddylwn i ystyried gofyn i rywun arall gymryd fy lle?

Roedd o'n anfodlon dweud o *ble* y deuai'r pryderon ond teimlais mai gwell fyddai imi ofyn i Cenwyn Edwards, a oedd yn Ddirprwy i mi erbyn hynny, gymryd fy lle.

Felly y bu hi am rai wythnosau, nes imi gyfarfod Syr Alun Talfan Davies a ofynnodd pam fod y newid wedi digwydd. Esboniais y cefndir iddo fo, ac o fewn wythnos roedd Aled yn gofyn imi ailafael yn y gwaith – ar gais y Bwrdd Cymreig, medde fo – ac felly y bu. A chlywais i ddim mwy o gwyno.

Yna daeth ergyd arall. Aled Vaughan yn fy ngalw eto, ac yn esbonio imi fod cyfres newydd gyda'r Arglwydd Chalfont ar y gweill. Cyfres materion cyfoes fyddai hi rhwng Scottish TV a HTV, ond gan na fyddwn i ddim yn gofalu amdani roedd angen rhoi'r teitl Pennaeth Materion Cyfoes HTV Cymru i Gwyn Erfyl i gydfynd â'i awdurdod dros y rhaglen. O hyn ymlaen, Pennaeth Newyddion HTV Cymru yn unig fyddwn i. Protestiais, ond roedd Aled yn ddisymud, ac felly y bu. Chollais i ddim cyflog ac roeddwn i'n gyfrifol am yr un staff a'r un rhaglenni ond gyda hanner fy nheitl gwreiddiol.

O fewn llai na blwyddyn cefais alwad arall i weld Aled, i gael fy hysbysu y byddwn yn cael fy nheitl llawn yn ôl o'r diwrnod hwnnw ymlaen. Chefais i ddim esboniad ond roedd y cyfan yn awgrymu'r gryf fod yna rywrai o fewn y teulu nad oedd yn gyfeillion mynwesol i mi, ac roedd gen i syniad go dda pwy oedd yn arwain y grŵp hwnnw – ond chefais i erioed ddigon o dystiolaeth bendant i ddod wyneb yn wyneb ag o.

Aeth pethau o ddrwg i waeth o'm safbwynt i. Roeddwn i'n ffilmio rhifyn o *Outlook* hefo Max Perkins yng ngwaith dur Shotton, pan ddaeth neges ddechrau'r pnawn yn fy ngalw i'n ôl i Gaerdydd i gyfarfod pwysig oedd i'w gynnal am saith o'r gloch y noson honno.

I ffwrdd â mi i glywed y newyddion gwaethaf posibl. Roedd Tony Gorard, y Rheolwr Gyfarwyddwr, naill ai wedi ymddiswyddo neu wedi cael y sac. Beth bynnag oedd y rheswm, roedd o wedi mynd, a gŵr o'r enw Ron Wordley wedi cymryd ei le.

Roedd honno'n noson drist iawn i mi. Roeddwn i wedi colli ffrind – dyn yr oeddwn i'n ei barchu am ei gadernid, ei onestrwydd a'i unplygrwydd. O'r wybodaeth oedd gen i, roedd ei olynydd yn gymeriad gwahanol iawn. Cyn-swyddog yn y fyddin ac wedi gwneud enw iddo'i hun yn

Adran Farchnata a Gwerthiant y cwmni. Ar ôl cyfnod o galedi ariannol roedd pethau'n gwella yn y diwydiant ac roedd y Bonwr Wordley, mae'n debyg, yn mynd i wneud ffortiwn i'r cyfranddalwyr.

Roedd ei gyfarchiad cyntaf i'r staff yn arwydd o'r hyn yr oeddan nhw i'w ddisgwyl: 'Ron Wordley ydi f'enw. Rwy'n hyn a hyn oed. Y fi yw eich Rheolwr Gyfar-wyddwr ac mae gen i fywyd rhywiol hapus iawn. Pnawn da ichi.' Doeddwn i ddim yn bresennol ar yr awr hanesyddol ond buan iawn y gwelais i o wrth ei waith yn cadeirio'r Pwyllgor Rhaglenni. Doedd yna fawr o le i drafod – yn enwedig pethau fel rhaglenni.

Ac yna, un bore, daeth yr ergyd bersonol nesaf i mi. A chlamp o glec oedd hi. Roedd y cyfarfod y tro hwn ym Mryste ac roedd fy nghyd-weithiwr, Huw Davies, a minnau wedi teithio gyda'n gilydd a'r ddau ohonom wedi trafod popeth ond HTV ar y ffordd.

Aeth y cyfarfod boreol yn iawn; cawsom damaid o ginio ac yna'n ôl i'r pwyllgor. Cyn cychwyn yr oedd gan Ron Wordley gyhoeddiad, medda fo. O hanner nos y noson honno (dyna'i steil o) mi fyddai yna Ddirprwy Bennaeth Rhaglenni ym Mryste; Ron Evans, y Pennaeth Newyddion a Materion Cyfoes yn y Gorllewin a fyddai'n cael y swydd honno, fel dirprwy i Patrick Dromgorle. Dirprwy Aled Vaughan yng Nghaerdydd fyddai Huw Davies.

Fe gefais i gebyst o sioc. Chafodd neb gyfle i ddweud gair, dim ond symud ymlaen at yr eitem nesaf. Ddywedais i ddim gair drwy'r pnawn a phan oeddan ni ar y ffordd yn ôl i Gaerdydd dyma ofyn i Huw oedd o'n gwybod am y penodiad ymlaen llaw, ond doedd o ddim am drafod dim gyda mi. Y diwrnod dilynol, euthum i weld Aled Vaughan a doedd yntau chwaith ddim am ddweud dim. Roedd hi'n sefyllfa gwbl newydd i mi, ac roedd hi'n eithaf amlwg fod gen i broblemau o'm blaen ac y byddai'n rhaid imi wneud penderfyniadau go bwysig, a hynny'n reit fuan.

Roedd hi'n digon hawdd gwneud *un*, a hynny oedd y byddem yn symud ein cartref i'r Gogledd. Bwriad Eleri oedd mynd i Brifysgol Bangor os byddai'n cael y graddau priodol yn ei harholiadau Lefel A. Fe ddigwyddodd hynny, ac erbyn i Eleri gychwyn ar ei chwrs yn yr Adran Gymraeg ym Mangor roedd gennym gartref ym mhentref Bethel. Roeddwn innau wedi cael fflat fechan yng Nghaerdydd ac yn teithio i'r Gogledd bob penwythnos. Beth bynnag fyddai'r dyfodol, roedd un cam pwysig wedi'i gymryd.

Byddwn yn holi Aled bob hyn a hyn am ddatblygiadau o fewn y cwmni. Gan fod sôn am agor pencadlys y Gogledd yn Yr Wyddgrug a fyddai'n bosibl cael f'ystyried ar gyfer swydd yno? Doedd dim posib cael ateb pendant.

Yna daeth drama fawr tua Gŵyl Dewi 1978. Roeddwn i am gynnal arolwg ar le'r iaith Gymraeg ym mywydau pobl y Gymru Gymraeg. Y bwriad oedd gwneud arolwg o dros fil o bobl a chyflogi cwmni proffesiynol o Gaerdydd i wneud hynny.

Roedd yn arolwg eang a bu staff yr adran a minnau yn llunio nifer fawr o gwestiynau ar bob agwedd ar Gymreictod, gan gynnwys arferion darllen, gwrando ar y radio a gwylio'r teledu. Cyflwynais yr arolwg i Aled a gofyn am sêl ei fendith cyn ei anfon i'r cwmni, ac anfonodd yntau nodyn yn ôl yn cadarnhau'r trefniadau.

Ar y dydd Mercher cyn y rhaglen, a oedd i'w darlledu'r Llun dilynol, daeth y canlyniadau. Anfonais gopi i Aled yn syth ond gan na ddaeth ymateb o gwbl ganddo aed ymlaen â threfniadau'r rhaglen.

Teithiais innau adref dros y Sul, ac ar fy ffordd yn ôl ar y nos Sul ffoniais adref o Rhaeadr, pryd y dywedodd Eirlys fod Mike Towers o HTV yn chwilio amdanaf ar frys. Teithiais ymlaen i Gaerdydd a chyrraedd Pont-canna, ond doedd dim golwg o Mike yn unman felly i ffwrdd â mi.

Roeddwn wrth fy ngwaith ben bore Llun, a thoc ar ôl naw o'r gloch dyma ysgrifenyddes Tim Knowles, y Pennaeth Ariannol (a chyfaill mawr Ron Wordley), yn cyflwyno llythyr imi a gofyn imi arwyddo fy mod wedi'i dderbyn. Llythyr oedd o yn hysbysu bod unrhyw un a oedd wedi comisiynu arolwg ar yr iaith Gymraeg gyda'r bwriad o'i ddarlledu a heb gael ei ganiatâd personol o, yn euog o wneud rhywbeth a fyddai'n golygu cael ei ddiswyddo yn y fan a'r lle. A dyna'i air olaf.

Euthum ar f'union i swyddfa Tim Knowles a gofyn am esboniad. Allai o ddweud dim. Byddai'n rhaid i mi siarad hefo Wordley. I lawr yn ôl i'm swyddfa fy hun a galw Llundain, lle'r oedd y brawd, fe ymddengys, gydag Aled Vaughan a nifer o fosus eraill y cwmni. Gofynnais amdano ond dywedodd rhyw ferch ei fod mewn cyfarfod. Finnau'n dweud fod yn *rhaid* imi gael gair hefo fo.

Ar ôl hen aros, dyma'r llais yr ochr arall yn dweud,

'You've signed yourself into the dole queue, haven't you lad? You put that programme out and you will be sacked.'

169

Erbyn hyn roeddwn i'n barod amdano. Awgrymais ei fod yn trafod y cefndir hefo Aled Vaughan, a'm bod i'n mynd ymlaen i recordio'r rhaglen am dri o'r gloch ac os na fyddai'n cael ei theledu y byddwn yn gwneud datganiad personol i'r wasg am naw o'r gloch y noson honno, yn dweud y stori i gyd. Ymhen llai nac awr, roedd Aled ar y ffôn yn dweud y byddai criw ohonyn nhw'n gwylio'r recordiad yn Llundain ac y cawn eu dyfarniad ar y darlledu yn syth wedyn.

Aeth popeth ymlaen yn dda iawn, ac o fewn pum munud inni gwblhau'r recordio cefais neges o Lundain yn cyhoeddi nad oedd gan neb wrthwynebiad i'r rhaglen gael ei throsglwyddo. Ar un llaw roeddwn yn credu fy mod wedi cael buddugoliaeth, ond gwyddwn yn fy nghalon fod hoelen arall wedi'i phlannu yn fy ngyrfa gyda chwmni HTV.

Yn yr un cyfnod, hefyd, fe aeth sibrydion ar led fy mod yn cael f'ystyried fel darpar ymgeisydd Llafur dros etholaeth Môn. Mae'n wir bod rhai wedi siarad â mi, ond gan nad oeddwn erioed wedi bod yn aelod o'r Blaid Lafur, prin iawn oedd y gobaith imi gael fy newis. Beth bynnag, fe ymddangosodd stori yn y *Western Mail* yn corddi'r dyfroedd a bu'n rhaid imi gael cyfarfod gyda Ron Wordley. Roedd o'n ofalus iawn yn ei agwedd, dim ond esbonio'r sefyllfa gyfreithiol o safbwynt y cwmni. Rwy'n siŵr ei fod o'n ddistaw bach yn rhyw led obeithio y byddai hyn yn un ffordd o gael gwared ohonof.

Ond fe wnaeth Hubert Morgan o'r Blaid Lafur Gymreig hi'n gwbl glir imi nad oedd croeso imi gan y mawrion. Elystan Morgan oedd dewis ddyn y Prif Weinidog Callaghan ac, wrth gwrs, roedd hynny'n gwbl ddealladwy o gofio'i lwyddiant yn y Swyddfa Gartref yn niwedd y chwedegau. Rhoddais wybod i Ron Wordley na fyddai ymgyrch seneddol yn tarfu ar fy ngwaith yn HTV wedi'r cyfan. Ond, wrth gwrs, o'r cyfnod hwnnw hyd heddiw, mae rhai'n credu o hyd mai pyped y blaid Lafur ydi'r hen Gwilym Owen. Ac felly y bydd hi hyd ddiwedd y byd, mae'n debyg.

Am y misoedd nesaf, hen gyfnod digon anhapus oedd o. Roedd y gwaith yn mynd yn ei flaen ond roedd yna gwynion bach yn dod yn amlach na pheidio, ac mae'n debyg fy mod innau'n dechrau chwerwi. Cefais gyngor gan Dorothy Williams fwy nag unwaith i beidio ymateb. Ei chyngor hi imi oedd i gario 'mlaen a pheidio cymryd sylw o fanion bethau.

Bellach roedd Huw Davies mewn grym a Gwyn Erfyl ar ei ffordd i ofalu am y pencadlys newydd yng Nghlwyd. Penderfynais innau mai dyma'r amser i godi pac a mynd.

Bûm yn trafod gydag Aled Vaughan a daethom i drefniant y byddwn yn gadael ond fy mod yn cael cytundeb dwy flynedd o waith, yn cynnwys cyflwyno *Yr Wythnos* a gohebu fel byddai'r galw yng Ngogledd Cymru. Gofynnais am swm arbennig o arian am y cyfnod ond chlywais i ddim gair pendant.

Yn Eisteddfod Caerdydd 1978, roeddwn yn Nerbyniad y cwmni ar y nos Iau yng ngwesty'r Post House ac yn eistedd yn ymyl John Morris, yr Ysgrifennydd Gwladol. Holodd sut yr oedd pethau'n mynd ac esboniais innau'r sefyllfa iddo. Wnaeth o ddim ymateb o gwbl ond, fore drannoeth, a minnau'n cynhyrchu rhaglen foreol o'r Eisteddfod, dyma Aled Vaughan ar y ffôn yn fy ngorchymyn i ddod drosodd i Fryste erbyn dau o'r gloch i esbonio'r hyn oeddwn i wedi'i ddweud wrth yr Ysgrifennydd Gwladol. Roeddwn yn amlwg wedi codi nyth cacwn.

Beth bynnag, penderfynais nad oedd raid imi esbonio sgwrs breifat i neb felly gadewais faes y Brifwyl ar y pnawn Gwener hwnnw ac ail ymddangos tuag wyth o'r gloch y nos yn y clwb ym Mhontcanna. Yno roedd yr hen Clive Gilvear yn llawn pryder. Roedd o wedi cael sawl galwad, fel roedd pawb oedd yn f'adnabod. Roedd David Meredith druan wedi treulio oriau'n chwilio amdanaf.

Bore drannoeth, roeddwn i'n ôl wrth fy ngwaith yn cynhyrchu ein rhaglen o'r Maes pan ddaeth Aled Vaughan yno. Y cyfan ddywedodd o oedd fod fy sgwrs yn y Derbyniad wedi achosi pryder, ond ei fod o'n gallu cadarnhau y byddai'r cwmni yn fodlon cynnig cytundeb imi ond bod y tâl bron ddwywaith yr hyn roeddwn i wedi'i ofyn amdano. Wrth gwrs, nid oedd raid imi adael o gwbl – yn wir, roedd *croeso* imi aros – ond roedd angen penderfyniad erbyn diwedd Awst, ac roedd angen dau fis o rybudd cyn imi fynd.

Fe fûm mewn cyfyng gyngor am ddyddiau ond yn y diwedd roedd yn rhaid bod yn onest â mi fy hun. Allwn i ddim gweithio o dan y drefn newydd ac roedd hi'n dod yn fwy a mwy amlwg imi fod Aled Vaughan, yr olaf o'r bobl fonheddig oedd yn y cwmni gwreiddiol, bellach yn cael ei amharchu gan y drefn newydd. Yn sicr, doedd o ddim yn cael y parch a'r teyrngarwch gan y rheiny yr oedd o wedi bod yn ofalus iawn ohonyn nhw. Dyna, yn y pen draw, a wnaeth imi droi cefn ar gyfnod hapusaf fy mywyd. Doeddwn i ddim yn disgwyl gwell gan bobl fel

Ron Wordley, ond peth arall yw cael eich siomi gan gydweithwyr o Gymry Cymraeg.

Felly, wedi cyflwyno fy olynydd, Geraint Talfan Davies, i'w swydd, fe adewais i gwmni HTV ar y dydd olaf o Dachwedd, 1978.

Sen a Gwawd

Roedd y dydd hwnnw o Dachwedd yn gychwyn ar gyfnod mwyaf anhapus fy mywyd – a hynny'n rhannol, efallai, am fy mod i'n gwybod fy mod i unwaith eto wedi credu fy mod i'n ddigon cryf i wynebu argyfwng arall.

Fe ddois i i sylweddoli'n fuan mai caled yw hi i geisio ailgychwyn gyrfa, yn enwedig felly mewn maes cystadleuol fel y cyfryngau Cymraeg. Ac yn enwedig pan nad ydach chi'n un o'r criw etholedig!

Roedd David Meredith, y bûm i'n cydweithio mor hapus ag o, wedi awgrymu imi y byddwn yn ei chael hi'n anodd iawn heb ambarél y cwmni uwch fy mhen, a theimlais y stormydd o'r cychwyn bron.

Un diwrnod roeddwn i yn ei chanol hi a'r diwrnod nesaf doedd gen i ddim i'w wneud – dim ond pwyso a mesur a oeddwn wedi cymryd y cam priodol ai peidio. O dipyn i beth, tyfodd yr amheuaeth yn gryfach ac yn gryfach.

Roedd pethau'n waeth, wrth gwrs, gan fod yn rhaid imi fynd i Gaerdydd yn wythnosol i gyflwyno *Yr Wythnos*. Roedd hynny'n artaith, a dweud y gwir. Nid cyflwyno'r rhaglen, na gweithio o dan ofal Geraint Talfan – doedd hynny ddim yn broblem o gwbl. Mewn gwirionedd, fe fu Geraint y tu hwnt o garedig drwy gydol y ddwy flynedd y bûm yn cydweithio ag o, a does dim dadl nad oedd o'n hynod o weithgar fel Pennaeth

Newyddion a Materion Cyfoes y cwmni. Gwnaeth gyfraniad gwerthfawr i ddatblygu ac ehangu'r gwasanaeth a llwyddodd i gael cyllidebau llawer gwell nag oedd ar gael i mi. Y baich i mi oedd gweld y criw, y 'teulu' yr oeddwn i wedi bod yn rhan o'u datblygiad, a gorfod cyfaddef i mi fy hun mai fi a benderfynodd eu gadael.

Mae'n debyg mai gwendid ar fy rhan oedd fy mod i'n dechrau troi'n greadur hunandosturiol ac, oherwydd hynny, yn troi'n ddyn anodd iawn rhesymu ag o.

Dyna pryd, fel llawer arall mae'n debyg, y bu imi droi at y botel am gysur, ac o ganlyniad y rhai agosaf ataf oedd yn dioddef fwyaf. Does dim pwrpas manylu, ond digon yw dweud i Eirlys ac Eleri gael cyfnod anodd iawn yn delio hefo sefyllfa oedd yn hynod boenus iddyn nhw, ac yn gyfnod y mae gen i fawr gywilydd ohono. Ond wedi dweud hynny, wnaeth fy llymeitian ddim dylanwadu ar fy ngwaith. Fyddwn i byth yn yfed os oedd gwaith i'w wneud, er bod rhai pobl wedi ceisio pardduo fy nghymeriad â brws alcoholiaeth. Diolch i'r nefoedd, wnes i erioed ddioddef o'r salwch hwnnw.

Fe gefais i fwy a mwy o waith – yn wir, yn union wedi imi adael HTV fe gefais alwad o'r IBA yn Llundain yn gofyn a fuasai gen i ddiddordeb yn swydd Lyn Evans oedd ar fin ymddeol fel Swyddog Cymru. Awgrymwyd fy mod yn cyfarfod Bill Pragnell, un o uchel swyddogion yr Awdurdod, a'r Athro Huw Morris Jones, Cynrychiolydd Cymru ar yr Awdurdod, yn un o westai Caerdydd.

Dros ginio, cefais gyfweliad trylwyr ond bûm yn ddigon gonest (a hirben, gobeithio) i awgrymu i'r ddau y gallai fy mhenodi fod yn embaras. Byddai'n rhaid imi gadw llygaid barcud a chloriannu gwaith cwmni yr oeddwn newydd ei adael, a byddai'n deg i'r cwmni godi amheuaeth ynglŷn â'm gwrthrychedd. Doedd yr Athro ddim yn derbyn fy nadl a gwnaeth hynny'n glir, ond roedd Pragnell fel petai'n gweld y bwganod. Mae'n amlwg mai ei safbwynt o a gariodd y dydd oherwydd cefais lythyr hyfryd yn esbonio na fyddai'r swydd yn cael ei chynnig i mi. Roeddwn yn falch, ond eto'n ymhyfrydu yn y ffaith imi gael f'ystyried.

O fewn ychydig fisoedd daeth cynnig gwaith o gyfeiriad y BBC. Roedd fy hen fos, Owen Roberts, am imi gadeirio'i raglen radio wythnosol a deithiai o gwmpas Cymru, *Hawl i Holi* – rhaglen oedd yn rhoi cyfle i gynulleidfaoedd holi panel. Y fi i gadeirio yn y Gogledd a'r Dr John Davies yn y De.

Mwynheais y gwaith yn fawr tra bu Owen yn cynhyrchu gan bod graen ar y trefniadau, ond wedyn cafwyd gwahanol gynhyrchwyr o Fangor i gynhyrchu (a defnyddio'r term yn llac!) a doedd dim trefn o gwbl. Roeddwn yn falch pan ddaeth y rhaglen i ben, er cystal oedd y tâl.

Daeth cyfle i gadeirio dwy gyfres radio arall gydag Owen Roberts yn cynhyrchu. Y gyntaf oedd *Y Dwthwn Hwn* – cyfres o gyfweliadau unigol gyda'r bwriad o fynd dan groen unigolion diddorol, pobl fel Zonia Bowen, Rhodri Williams, John Elfed Jones, Eddie Rae, Yr Athro Rees Davies ac eraill. Yr ail oedd *Dwy Genhedlaeth*, a phwrpas hon oedd cymryd golwg ar waith drwy lygaid yr hen a'r ifanc. Cafwyd rhaglenni ar Undebaeth, Sylwebaeth Rygbi, Newyddiaduraeth ac amrywiol bynciau eraill. Dwy gyfres a roddodd bleser mawr i mi a, hyd y gallwn ganfod, a gafodd dderbyniad gan y gwrandawyr. Ond byrhoedlog oedd y gwaith ac roedd angen mwy o her arnaf, ac yn sicr roedd angen rhywbeth a fyddai'n llenwi f'amser.

Daeth dwy her, fwy neu lai gyda'i gilydd. Y gyntaf oedd cyfle i newyddiadura, drwy ysgrifennu colofnau'n tafoli teledu a radio yng Nghymru ar gyfer y *Western Mail*. Gofynnwyd imi lenwi bwlch a adawyd gan Gethyn Stoodley Thomas am gyfnod, a phrofiad diddorol oedd y gwaith hwnnw. Ond fe ddeuthum i ddeall yn fuan iawn mai pobl groendenau iawn ydi rhai o'n hactorion. Wedi imi roi swadan go gïaidd i un ohonyn nhw, fe ddaeth i'm sylw fod llythyrau wedi mynd i bob cyfeiriad yn amau fy hawl i feirniadu ac yn awgrymu y dylid rhoi taw arnaf. Wn i ddim a gafodd y *Western Mail* lythyr o'r fath – os do, ddaru nhw ddim rhoi'r sac i mi!

Yn ogystal â hynny, cefais gais gan yr annwyl Jennie Eirian Davies i gyfrannu colofn reolaidd i'r *Faner* – cylchgrawn yr oedd hi'n ei olygu ar y pryd.

Y comisiwn a gefais ganddi oedd paratoi ysgrifau a fyddai, gobeithio, yn cychwyn trafodaeth ac yn denu ymateb llythyrwyr. Fe ymatebais i'r cais yn unol â'r athroniaeth oedd, ac sydd, gennyf am yr angen i ysgrifennu a darlledu mewn ffordd fywiog, ddadleugar a diddan. Does dim pwrpas paratoi stwff sy'n gwneud dim ond gyrru pobl i gysgu. Dyna oedd gwendid newyddiaduraeth Gymraeg ar y pryd, a phrin fod pethau wedi gwella rhyw lawer erbyn heddiw chwaith.

Roedd ysgrifennu ar gais Jennie Eirian yn bleser pur. Welais i neb oedd yn cymryd ei gwaith gymaint o ddifrif. Roedd golygu'r *Faner* yn glamp o dasg gydag ychydig iawn o adnoddau– dim help gan neb bron – ac eto, roedd hi'n canfod amser i sgwennu a ffonio ac ymateb i bob cyfraniad. Weithiau roedd hi'n dweud yn gwbl blaen ei bod hi'n llwyr anghytuno â'm safbwynt, dro arall roedd hi'n rhoi sêl ei bendith yn llawn ar yr hyn yr oeddwn yn ei ddweud. Roedd hi wrth ei bodd yn cael ymateb ac roedd yna ddigon o hwnnw. Fe lwyddais i gythruddo llawer iawn o'r dosbarth canol Cymraeg.

Bûm yn ddigon mentrus i achub cam y mamau oedd yn dewis aros gartref i ofalu am eu plant. Awgrymais mai un ffordd o wella economi Cyngor Sir Gwynedd fyddai polisi o beidio talu cyflogau dwbl i gynifer o'r staff. Fe fyddai cyflogi'r gŵr *neu*'r wraig o fewn un teulu yn ddigon. Rhoddais gelpan hefyd i'r arferiad dosbarth canol Cymraeg o ollwng eu cyfenwau wrth enwi eu plant, a rhoi esiamplau o'r enwau comic Cymraeg yr oedd yr hen blantos yn gorfod eu cario am weddill eu hoes.

Bu'r ymateb i amryw o'r pynciau yn ffiaidd a phersonol, ac yn waeth na hynny, roedd yna esiamplau o rai Cymry da yn bwrw'u llid ar Eleri, fy merch, oedd erbyn hyn yn dod i ddiwedd ei chwrs coleg ac yn chwilio am waith fel athrawes.

Cofiaf imi fod mewn Derbyniad i anrhydeddu'r Dr John Gwilym Jones mewn gwesty yn ardal Caernarfon, ac ar y pryd roedd Eleri wedi bod ar ymarfer dysgu yn un o'r ysgolion uwchradd lleol. Yn ystod y noson daeth un o athrawesau'r ysgol honno, a ddigwyddai fod yn briod ag un o Uwch Swyddogion hen Gyngor Sir Gwynedd, ataf – wn i ddim a oedd hi wedi llyncu gormod o win ai peidio – ond roedd hi ar dân eisiau rhoi hergwd eiriol imi.

'Biti dros eich merch chi. Fe allai hi fod yn athrawes

dda iawn ond chaiff hi byth swydd yma yng Ngwynedd oherwydd eich agwedd wrthnysig chi.' A cherddodd i ffwrdd.

Roedd dau neu dri chyfaill imi wedi clywed y sgwrs ac fe aethom yn syth at ei gŵr a rhoi gwybod iddo beth oedd ei wraig wedi'i ddweud. Wyddai'r creadur, a oedd yn gyfaill imi ers blynyddoedd, ddim sut i ymateb. Ond fe gafodd y neges. Mae'n deg imi ddweud i Eleri gael swydd yn un o ysgolion y sir ac mae wedi gwasanaethu'r Cyngor Sir byth oddi ar hynny.

Ond mae'r digwyddiad yn ddarlun o sefyllfa newydd-iadurwr sy'n meiddio torri'i gwys ei hun yng Nghymru fach, a dyw pethau ddim wedi newid llawer dros gyfnod o fwy nag ugain mlynedd. Yn ddiweddar, cafodd Eleri ddamwain car eithaf cas ac ymateb un o'i chyd-athrawon oedd, 'Mae'n rhaid fod y dreifar arall yn gwybod mai merch Gwilym Owen oeddat ti, a phenderfynu mynd ar draws dy lwybr di.'

Ar un olwg, jôc fach efallai – ond mae'n dangos y math o feddylfryd sy'n dal i fodoli.

Hunllef

Un diwrnod, yn yr wythdegau cynnar, cefais wahoddiad i fynd i gyfarfod â'r Dr J. A. Davies, Prifathro'r Coleg Normal a Chadeirydd y Bwrdd Ffilmiau Cymraeg. Roedd y Bwrdd yn chwilio am rywun i ofalu am weinyddiaeth y Corff a chais y Dr Davies oedd a fyddai gen i ddiddordeb mewn ymgymryd â'r gwaith. Ar ôl peth trafod, fe gytunwyd y byddwn yn derbyn y swydd ran amser o Gynhyrchydd y Bwrdd Ffilmiau Cymraeg.

Roedd y Bwrdd yn cael grantiau o gyfeiriad y Swyddfa Gymreig, Cyngor Celfyddydau Cymru a Chymdeithas y Celfyddydau yng Ngogledd Cymru. Yn wir, roedd holl weinyddiaeth y Bwrdd yn nwylo Cyfarwyddwr Cymdeithas Celfyddydau'r Gogledd – a hynny efallai oedd y broblem fwyaf. Roedd gan y Bwrdd hefyd ysgrifenyddes ran amser a swyddfa yn yr hen Goleg Normal.

Y teimlad a gefais o'r dechrau oedd fod Dr Davies am weld y gwaith yn datblygu a ffilmiau'n cael eu cynhyrchu o fewn ffiniau'r gyllideb fechan oedd ar gael – tra bod y gweinyddwr, Llion Williams, yn hapus i weld yr olwyn yn troi trwy logi ffilmiau oedd gan y Bwrdd i wahanol fudiadau ledled Cymru. Doedd gen i ddim diddordeb yn hynny, felly dyma fynd ati i drefnu cynhyrchiad newydd sbon.

Roedd Iwan Meical Jones newydd ennill gwobr yn y Brifwyl am sgript ffilm o dan feirniadaeth y cyfarwyddwr, Gareth Wyn Jones, a oedd yn aelod o'r Bwrdd. Roedd o a minnau'n credu y gellid cynhyrchu *Teisennau Mair* o fewn y gyllideb oedd ar gael. Fe gyflwynwyd y cynnig i gyfarfod llawn o'r Bwrdd a chafwyd sêl bendith i symud ymlaen.

Llwyddais i berswadio cyn-gydweithiwr imi o HTV, gŵr camera ardderchog o'r enw Graham Edgar, a'i gwmni i ymgymryd â'r gwaith ffilmio. Daeth Huw Griffiths, golygydd ffilm talentog, eto o HTV, i ymuno â ni dros gyfnod y cynhyrchiad; Marged Esli, Cefin Roberts a J. O. Roberts oedd y tri actor. Llwyddwyd i gwblhau'r ffilmio o fewn yr amser penodedig.

Roedd y Bwrdd Ffilmiau Cymraeg wedi llwyddo i fod yn gorff creadigol unwaith eto ac roedd gennym dystiolaeth o hynny wrth gyflwyno cais am grant arall i'r Swyddfa Gymreig. Ac yn wir, fe ddaeth ymateb ffafriol iawn a chynyddwyd y cymorth ariannol.

Mae'n amlwg fod Wyn Roberts, y Gweinidog, wedi'i blesio ac am weld y gwaith yn parhau. Doedd dim gwastraff, dim gorwario – yn wir, dim cwyn o gwbl am y cynhyrchiad – a hyd y gallwn farnu, roedd y Bwrdd a Dr Davies yn hapus gyda'r ffordd yr oedd pethau'n mynd. Bellach, roedd yn rhaid symud ymlaen a dyma fynd ati i baratoi ffilm gwbl wahanol.

Roedd Euryn Ogwen Williams wedi sgwennu sgript yn seiliedig ar griw o bobl oedd wedi ffoli ar yrru ceir rali. Roedd yn sgript anturus, fywiog – cwbl wahanol i *Teisennau Mair*.

Teimlwn mai'r cyfarwyddwr gorau ar gyfer y cynhyrchiad yma fyddai Alan Clayton, y bûm i'n cydweithio ag o yn HTV. Cytunodd yntau a dechreuwyd ar y gwaith o ffilmio *Newid Gêr* yn ardal Llanilar yng Ngheredigion, ac unwaith eto cwblhawyd y gwaith yn drefnus ac o fewn y gyllideb.

Erbyn hyn, roedd yr olwyn yn troi go iawn felly dyma droi at gynhyrchiad newydd arall. Comisiynwyd Wil Sam i sgwennu sgript ffilm a fyddai'n cynnwys elfennau o fywyd pentrefol diwylliannol ond gydag ychydig o sgandal a dôs go dda o hiwmor. Llwyddodd Wil i gael y sgript i fwcwl. Dewiswyd Gareth Wyn Jones i gyfarwyddo *O.G.*, gyda John Pierce Jones, Elliw Haf a Dafydd Hywel fel y prif actorion. Graham Edgar a'i gwmni oedd yn gyfrifol am y ffilmio, a Hugh Griffiths – a fu'n golygu'r ddwy ffilm uchod – yn olygydd unwaith eto.

Yn gyfredol ag *O.G,*. aethom ati hefyd i ffilmio sgript anturus ac ardderchog gan yr Athro Gwyn Thomas o dan y teitl *O'r Ddaear Hen*, gyda Wil Aaron yn cyfarwyddo, Dafydd Hobson fel gŵr camera a Lewis Fawcett yn olygydd ffilm. Ar nos Sadwrn, 17 Hydref 1981, cafwyd dangosiad o'r ddwy ffilm yn Theatr Gwynedd Bangor a chafodd y fenter dderbyniad gwresog.

Roedd Wyn Roberts yn bresennol y noson honno, yn ogystal â Syr William Mars Jones o Gymdeithas Celfyddydau Gogledd Cymru, ac roedd pawb yn canu clodydd y Bwrdd Ffilmiau Cymraeg. Yn wir, roedd canmoliaeth yn y wasg hefyd, a'r *Cymro* yn gweld y ffilmiau yn gyfrwng i greu ffydd yn nyfodol y Bedwaredd Sianel, a oedd o fewn blwyddyn i'w genedigaeth.

Yn sicr, mewn cyfnod o ychydig dros ddwy flynedd a hanner, roedd y Bwrdd Ffilmiau wedi cwblhau ffilmiau eithaf safonol oedd yn para am gyfanswm o bedair awr a hanner. Roedd pedwar cyfarwyddwr wedi cael cyfle i hogi eu doniau, a nifer dda o actorion wedi eu cyflogi o dan amodau proffesiynol undebol. Daeth y cyfan i fwcwl heb orwariant ac yn unol â'r trefniadau gwreiddiol, a hyn i gyd gydag un cynhyrchydd ac ysgrifenyddes ran amser.

O edrych yn ôl, efallai y byddai wedi bod yn llawer doethach petawn i a'r Bwrdd Ffilmiau wedi penderfynu mai dyna oedd ein cryfder, a pheidio a mentro i bwll mwy a chwbl ddiarth.

Ond nid felly y bu hi. Roedd S4C ar y ffordd ac roedd y Sianel wancus yn galw am staff newydd. Roedd yn gyfnod diddorol a minnau'n barod wedi cael fy mherswadio, yn gwbl wirfoddol, i fod yn rhan o gwmni adnoddau ar gyfer paratoi rhaglenni i'r Sianel.

Huw Jones gysylltodd â mi, gan sôn fod Wil Aaron ac yntau â'u bryd ar symud i'r cyfeiriad hwnnw. Roeddan nhw am fy nghael i'n rhan o'r cwmni ac roedd Alan Clayton, gynt o HTV, hefyd â diddordeb. Golygai ymuno gryn fenter ariannol, gan y byddai'n rhaid i'r pedwar ohonom fuddsoddi pum mil ar hugain o'n harian ein hunain i gychwyn. Ond roedd Huw – yn ôl ei arfer, gynt ac wedyn – wedi gwneud ei waith cartref ac roeddwn i'n eithaf hapus na fyddai'r fenter yn methu. Felly dyma neidio i mewn, benthyca'r arian angenrheidiol a bant â'r cart.

Cyfnod anturus oedd y misoedd cyntaf hynny cyn sefydlu Barcud. Trafod a chyfarfod, gwrando a gwylio, a rhyfeddu at allu'n Cadeirydd i gael ei faen i'r wal. Roeddwn i'n mwynhau ac yn dysgu – a hefyd, gobeithio, yn cyfrannu pan ddaeth hi'n amser cyflogi staff a chyfweld ymgeiswyr.

Ond gwaith rhan amser oedd hyn i gyd. Ar yr un pryd, yr oedd Euryn Ogwen Williams, Cyfarwyddwr Rhaglenni S4C, wedi awgrymu y carai weld y Bwrdd Ffilmiau yn cynhyrchu ffilm fawr ar gyfer Nadolig cyntaf y Sianel. Roedd o am gael ffilm gyfnod â'i chefndir yng Ngogledd Cymru.

Awgrymais i addasu'r nofel *Helynt Coed y Gell* gan G. Wyn Griffith, ond roedd Euryn Ogwen yn gwbl bendant mai *Madam Wen* oedd y nofel i'w haddasu ac mai Dafydd Huw Williams fyddai'r un i wneud y gwaith hwnnw. Dyma ddwy amod, felly, wedi dod o gyfeiriad y Sianel – ond roedd yna drydedd, a honno oedd fod yn rhaid denu cyfarwyddwr oedd wedi gwneud ei enw y tu allan i Gymru fach. Byddai'n rhaid troi tua Llundain, felly.

Roedd Geraint Morris, y diweddar erbyn hyn yn anffodus, yn yr Alban yn ffilmio cyfres rwydwaith ar gyfer y BBC, felly dyma gysylltu â'r ail enw ar ein rhestr, Pennant Roberts, a oedd wedi gweithio ar nifer o gyfresi rhwydwaith. Mynd i Lundain i'w gyfarfod. Roedd o'n ymwybodol o'r sefyllfa ac fe gytunodd i ymgymryd â'r gwaith – ond roedd ganddo yntau amodau.

Byddai'n rhaid iddo gael ei bobl ei hun o'i gwmpas. Dau gyfarwyddwr cynorthwyol, dau gynllunydd, merched gwisgoedd a cholur, hyfforddwr ceffylau a'r ceffylau, rheolwr props a phryniant, pennaeth stynts a staff. Roedd y rhestr yn ddiddiwedd ond cytunodd S4C i'r trefniant hwn. Pennant oedd yn gyfrifol hefyd am gastio'r holl actorion, er fy mod i'n bresennol mewn clyweliadau. Y fo ddewisodd yr holl leoliadau a threfnu'r addasiadau angenrheidiol, ac roedd yna nifer o'r rheiny. Y fo, hyd yn oed, oedd â'r gair olaf ynglŷn â'r cwmni fyddai'n bwydo'r actorion a'r criw yn yr holl leoliadau.

Roedd o'n weithiwr arbennig o galed ac fe saethwyd y cyfan o fewn chwe wythnos, ond roedd hynny'n golygu fod gennym dunelli o offer ar rent oedd yn costio'n drwm iawn inni. Roedd gan bob adran ei chyllideb ei hun, ac er bod pawb yn dweud bod popeth mewn trefn, fe ddaeth yn amlwg ar ddiwedd y cynhyrchiad fod gorwario wedi digwydd. Doedd yr un geiniog o arian y Sianel yn dod i'm dwylo i – câi'r cyfan ei dalu'n syth i ofal y swyddfa yng Nghymdeithas Celfyddydau Gogledd Cymru – ac o'r swyddfa honno y cawsai pawb ei dalu. Ni chefais i neges erioed o'r fan honno fod pethau'n mynd o le, ond efallai y dylwn fod wedi synhwyro'r trafferthion ynghynt.

Mae'n ddiddorol nodi hefyd na ddaeth Euryn Ogwen Williams i weld y ffilmio o gwbl. Bu'i ddirprwy, Emlyn Davies, yn bresennol am ychydig ar un diwrnod yn unig a galwodd Owen Edwards, Cyfarwyddwr y Sianel, i weld rhan fach o'r ffilm yn yr ystafell olygu un pnawn. Bu Pennant Roberts, Llion Williams a minnau mewn un cyfarfod yng Nghaerdydd gyda Syr Goronwy Daniel ac Euryn Ogwen, lle'r awgrymwyd fod angen mwy o ddisgyblaeth ar y gwariant ond fod yn rhaid i'r gwaith fynd yn ei flaen.

Fel yr oedd diwrnod olaf y ffilmio yn Llandudno yn agosáu roedd sibrydion yn fy nghyrraedd fod bosus S4C am fy ngwaed. Yna'n sydyn, fe deimlais lafn eu cyllell am y tro cyntaf.

Ar raglen *Heddiw* y BBC, cyhoeddwyd fod y ffilm, *Madam Wen*, mewn trafferthion; bod gorwawrio trychinebus wedi digwydd; bod ymchwilwyr ar y ffordd i Fangor i gynnal cwest ar yr hyn oedd wedi digwydd – a'm bod i, fel cynhyrchydd, yn gyfrifol am gamweinyddu.

Doedd neb wedi cysylltu â mi o gwbl i roi cyfle imi ymateb ac roedd hynny'n rhyfedd iawn. Roeddwn i wedi treulio diwrnod y darllediad yng Nghanolfan y BBC yng Nghaerdydd ac roedd hynny'n wybyddus i gynhyrchwyr y rhaglen. Roedd hi'n amlwg hefyd eu bod nhw wedi cael holl fanylion y sefyllfa gan S4C, a'r hyn oedd yn drist o'm safbwynt i oedd mai'r rhai oedd yn gyfrifol am y rhaglen oedd tri o gyn-gydweithwyr imi yn HTV – tri a oedd yno pan gychwynnais i weithio ar raglen *Y Dydd*, sef Euryn Ogwen Williams, Deryk Williams a Gwyn Llywelyn, y cyflwynydd.

Pan gysylltais i ag Euryn y bore dilynol roedd o'n llawn ymddiheuriadau ac yn honni fod y ddau arall yn benderfynol o dorri'r stori, p'run a oeddan nhw'n cysylltu â mi ai peidio. Digon yw dweud imi gael fy siomi ond nid fy synnu. Ddyweda i ddim mwy.

Roedd y bennod yn embaras llwyr i'r Dr Jim Davies ac roedd fy nghalon i'n gwaedu drosto. Gorfu iddo fynd o flaen penaethiaid y Sianel a'i orchymyn i roi'r sac i mi, ac fe wnaeth hynny yn ei ffordd rasol ei hun – doedd ganddo ddim dewis.

Y noson cyn imi gael y gic fawr, cefais neges gan Euryn Ogwen. Roedd o mewn gwesty ym Miwmares gyda Muiris MacGonghail – pennaeth rhaglenni RTE – a oedd wedi'i alw fel arbenigwr annibynnol gan S4C i gloriannu'r ffilm, ac roedd y ddau am fy ngweld. Dywedais y down draw yn y bore a phan gyrhaeddais cefais groeso mawr gan Muiris, gŵr yr oeddwn yn ei adnabod yn dda gan fy mod wedi cydweithio ag o yn ddiweddar yn yr Ŵyl Ffilmiau Geltaidd yn Wexford.

Dywedodd wrthyf na ddylwn boeni am y gorwariant – roedd y ffilm yn werth y pres. Roedd o'n awyddus i ddweud hynny wrthyf cyn mynd i gyflwyno'r un neges i Owen Edwards yn S4C. Daeth yn ei ôl ymhen rhyw hanner awr ac roedd ei wyneb yn dweud y cyfan. Roedd pennaeth S4C yn bendant fod yn rhaid i'm pen rowlio – doedd dim amdani ond y sac. Ond, chwarae teg i Muiris, fe ddywedodd ei neges wrth Vaughan Hughes, gohebydd *Y Dydd*, ac fe gyhoeddodd Vaughan hynny ar yr awyr y noson honno. Roedd hi'n ddiddorol na welodd criw *Heddiw* yn dda i ddweud dim.

Euthum innau'n ôl i'm swyddfa ym Mangor, lle'r oedd y wasg yn disgwyl amdanaf, a bu'r stori yn ferw am ddyddiau ac wythnosau i ddod.

Doedd o ddim yn gyfnod hapus i Eirlys ac Eleri – a dweud y gwir, roedd hi'n uffern ar y ddaear iddyn nhw. Roedd llawer yn credu fy mod i wedi pocedu miloedd o bunnau fy hun, ond y gwirionedd oedd mai prin bum mil o bunnau o gyflog a gefais i am chwe mis o waith. Cyflog y Cyfarwyddwr am yr un cyfnod oedd ugain mil o bunnau namyn pum cant ynghyd â chostau llawn, ac roedd llawer o'i gyfeillion ar y cynhyrchiad yn ennill rhwng pedwar cant a phedwar cant a hanner o bunnau'r wythnos, a'u costau yn y gwestai gorau. Yr hyn a'm siomodd fwyaf oedd y ffaith na ddaru neb o S4C, na'r Bwrdd Ffilmiau, gyhoeddi fy mod yn ddieuog o unrhyw

187

anonestrwydd. (Byddai hynny wedi bod yn ormod i'w ddisgwyl, mae'n debyg, gan un swyddog yn arbennig – ac nid yn *S4C* yr oedd hwnnw. Ddeuda i ddim mwy!)

Un gair bach terfynol am *Madam Wen* – nid fi oedd yn gyfrifol am olygfa'r llong gomic honno, sydd wedi bod yn gymaint o destun jôc. Roeddwn i wedi'm suddo fy hun cyn diwrnod ffilmio'r dywededig long!

Mi allwn ddweud llawer mwy am saga'r ffilm – ond roedd gwaeth i ddod. Roedd yn dod yn fwy a mwy amlwg imi'n ddyddiol fod unrhyw obaith oedd gen i i fod yn un o'r criw a fyddai'n gwneud cyfraniad bychan i'r sianel deledu newydd yn diflannu'n gyflym iawn.

Penderfynodd comisiynwyr rhaglenni'r Sianel nad oeddynt wedi cytuno i dderbyn cyfres o hanner dwsin o raglenni syml, cymharol rad gen i – er fy mod i'n credu'n gwbl sicr i hynny ddigwydd. A fyddwn i wedi mynd ymlaen i gomisiynu set a threfnu i recordio dwy raglen, oni bai fy mod i'n gwbl argyhoeddedig o hynny? Onid oeddwn i wedi cael profiad o drefn y Sianel yn dilyn yr antur gyda *Madam Wen*? Beth bynnag, fe wrthodwyd y rhaglenni, gan fy ngadael i gyda dyledion enfawr.

I goroni'r cwbl, dyma Huw Jones yn fy rhybuddio fod fy nyddiau fel Rheolwr Gyfarwyddwr Barcud yn dod i ben. Bellach, roeddwn i'n embaras i'r cwmni. Doedd pobl S4C ddim yn fodlon trafod â mi, ac awgrymodd mai'r peth gorau fyddai imi adael y cwmni'n gyfan gwbl. Gallai fy mhresenoldeb beryglu busnes Barcud. Fe fyddai o a Wil Aaron yn talu'r pum mil ar hugain yn ôl i mi, ond nid y llogau – fy nghyfrifoldeb i oedd hwnnw. Roedd hi'n amlwg o'r sgwrs nad oedd gen i fawr o ddewis ond codi fy mhac a mynd. Dros y Sul dilynol, daeth un o weithwyr y cwmni at y tŷ yn llechwraidd a rhoi amlen drwy'r drws. Ynddi roedd siec am y pum mil ar hugain o bunnau a dim byd arall. Felly y daeth fy nghysylltiad â'r cwmni i ben.

Roedd fy myd yn rhacs. Doedd gen i unman i droi. Roeddwn yn gyfan gwbl ddi-waith yn hanner cant oed.

Bu'r haf hwnnw ar ei hyd yn uffern ar y ddaear. Dim cyflog, dyledion a dim gobaith cael swydd yn y maes y gwyddwn rywbeth amdano. Sibrydion fy mod i'n anonest a'r ofn mwyaf un, y byddai'n rhaid ymweld â Swyddfa'r Diwaith. Roedd y dôl wedi bod yn gymaint o faich inni pan oeddwn yn blentyn – roedd meddwl am orfod mynd yn ôl i hynny yn faich y methwn ei wynebu.

Roedd y felan a'r iselder bron â'm lladd, a'r unig beth oedd yn lliniaru pethau oedd y botel. Llymeitian oedd yr unig ddihangfa. Collais y Steddfod Genedlaethol – allwn i ddim meddwl am fynd yno – ac ar wahân i'r hen gyfaill, Harri Pritchard Jones, ddaru neb sylwi ar f'absenoldeb.

Ond, yn ystod mis Awst, cefais wahoddiad gan Lena Pritchard Jones, Golygydd *Helo Bobol* ar Radio Cymru, i gyflwyno un rhifyn o'r rhaglen honno, a byddaf yn fythol ddiolchgar iddi am fy nghodi o anobaith.

Wrth gael brecwast yn ffreutur y BBC yn Llandaf, cefais sgwrs â John Roberts Williams a oedd, ar y pryd, yn llenwi bwlch fel Golygydd dros dro ar Adran Newyddion Radio Cymru. Fe'm holodd am fy nghynlluniau ar gyfer y dyfodol ac a fuasai gen i ddiddordeb mewn dod i'r BBC petai'r cyfle'n dod. Wrth gwrs, roeddwn yn barod i dderbyn neu i ystyried unrhyw gynnig. Wrth gwrs hefyd, allai John ddim gaddo dim, ac felly y gadawyd pethau.

Wedyn gwelais hysbyseb am swydd Golygydd *Y Faner* a phenderfynais anfon cais i'r Bala. Daeth gwahoddiad i fynd am gyfweliad yn gynnar un bore ac yno'n aros amdanaf roedd perchnogion Cwmni'r Cyfnod a dau o gynrychiolwyr Cyngor Celfyddydau Cymru. Cefais fy holi'n faith ac yna awgrymwyd fy mod yn dod 'nôl ymhen dwyawr, gan fod ymgeiswyr eraill i'w cyfweld.

Wrth fynd am dro o gwmpas y Bala penderfynais ffonio adref i weld a oedd rhywbeth yn y post. Doedd yna ddim byd o bwys ond roedd gan Eirlys neges i mi. Roedd Gareth Price, Pennaeth Rhaglenni'r BBC, am imi'i ffonio ar fyrder.

Gwnes hynny, a chael clamp o sioc. Oedd gen i ddiddordeb yn y swydd barhaol o Olygydd Newyddion Radio Cymru? Dyna'r cwestiwn o Gaerdydd. Os oedd, a allwn i gyfarfod Rheolwr Cymru, Geraint Stanley Jones, yng Ngwesty Bodysgallen, Llandudno, ddeuddydd yn ddiweddarach i drafod ymhellach?

Roedd yr ymateb yn gwbl gadarnhaol, wrth gwrs, ond roedd un broblem – beth oedd cyngor Gareth i mi petawn i'n cael cynnig Golygyddiaeth *Y Faner* y bore hwnnw? Oedd lle i gredu nad oedd cynnig y BBC yn bendant?

'Mae o yn dy ddwylo di,' oedd yr ateb, 'ond petawn i yn dy le di, mi fuaswn i'n gwrthod honno – hynny ydi, os cei di'i chynnig.'

Cerddais yn ôl i Swyddfa'r Cyfnod yn ddyn hapus iawn. Wedi cyrraedd yno, fe'm gwahoddwyd i fyny'r grisiau, ac ar y ffordd dyma un o'r Brodyr Evans yn dweud y byddai'r swydd yn cael ei chynnig i mi. Penderfynais ddweud na allwn ei derbyn – ond na allwn chwaith esbonio pam, ond bod rhywbeth wedi digwydd yn ystod yr awr ddiwethaf oedd wedi newid fy sefyllfa. Roedd o'n amlwg wedi cael ei synnu, ac yn y fan yna y gadawyd pethau.

Bu'r ddeuddydd nesaf yn gyfnod hir iawn, ond wedi cael cyfarfod yn Llandudno hefo Geraint Stanley Jones, fe gwblhawyd y trefniadau. Roeddwn ar fy ffordd yn ôl i newyddiaduraeth amser llawn yn y cyfryngau Cymraeg.

Yr Olwyn yn Troi

Does dim dwywaith nad oedd penderfyniad Rheolwr BBC Cymru i gynnig swydd imi, o fewn ychydig fisoedd i'w ragflaenydd yn y swydd honno benderfynu fy niswyddo'n gwbl ddidrugaredd, yn gam oedd yn gofyn am gryn dipyn o ddewrder. Mi fydd gen i le i ddiolch i Geraint Stanley Jones, Gareth Price a Teleri Bevan am weddill fy oes am eu penderfyniad i'm cyflogi pan oeddwn yn esgymun.

Felly, ar Dachwedd y cyntaf 1982, y diwrnod yr agorodd S4C, yr oeddwn i'n cerdded i mewn i Landaf i fod yn Olygydd Newyddion ar y donfedd radio Gymraeg – ac yn falch a diolchgar iawn o gael gwneud hynny.

Doedd pawb yn y lle ddim yn gwbl hapus fy mod i yno ond erbyn hyn gwyddwn pwy oedd fy ngelynion ac roedd gen i'r pleser o gofio mai yno ar wahoddiad yr oeddwn. Doeddwn i ddim wedi gofyn am ffafr gan neb a doeddwn i ddim yn nyled neb.

Mi gofia i eiriau Tom Williams (Tom Ffon), Pennaeth Personél BBC Cymru ar y pryd. Mewn cyfarfod hefo fo ar y diwrnod cyntaf fe'i gwnaeth yn glir ei fod o wedi ymchwilio'n ofalus i'm cefndir, ac y dylwn sefyll ar fy nhraed heb boeni dim am y gorffennol.

'Does yna ddim marc ar eich cymeriad chi,' medda fo – y geiriau pwysicaf a'r mwyaf cysurlon a glywais ers misoedd.

Fe gefais bob cefnogaeth gan y ddau yr oeddwn yn gyfrifol iddyn nhw, sef Arwel Ellis Owen, Golygydd Newyddion a Materion Cyfoes, a Meirion Edwards, Golygydd Radio Cymru. Dau gydweithiwr nad oedd angen eu gwell.

Y gwasanaeth newyddion a materion cyfoes oedd adran fwyaf BBC Cymru, gyda phum golygydd adrannol ac uwch olygydd rheolaethol. Tueddd pob adran oedd torri'i chwys ei hun a doedd 'na fawr o gydweithio. Roedd hynny'n ymddangos yn sefyllfa ryfedd a gwastraffus i mi ond roeddwn yn llawer rhy ddibrofiad yn y Gorfforaeth i fentro codi llais.

A dweud y gwir, roedd gen i ddigon o dasg yn fy adran fy hun – adran o bobl ifanc pur ddibrofiad. Roedd y rhan fwyaf o'r rhai profiadol wedi canfod swyddi newydd yn yr adran oedd i wasanaethu *Newyddion Saith* ar gyfer S4C.

Fy ngwaith cyntaf i, felly, oedd ceisio arwain a meithrin y criw dibrofiad yma, fel bod gan Radio Cymru wasanaeth newyddion a materion cyfoes credadwy a dibynadwy. Cryfhau ieithwedd y staff oedd y gwaith cyntaf drwy gywiro a chadw llygad barcud ar y sgwennu (a'r ffordd orau o wneud hynny oedd gweithio ac eistedd yn eu plith); cynhyrchu rhaglenni dyddiol; cynorthwyo yn y gwaith o sgriptio; golygu a thrafod gwerth straeon a'r dull o'u cyflwyno.

Cefais lawer iawn o help yn y gwaith hwn gan y talentog Ifan Wyn Williams, a oedd wedi gadael ei swydd fel prifathro Ysgol Gyfun Rhydfelen i gyflwyno rhaglenni newyddion Radio Cymru. Roedd gan Ifan y ddawn i ennyn brwdfrydedd pobl ifanc dros gywirdeb yr iaith Gymraeg. Yn ychwanegol at hynny, bûm yn ddigon ffodus i gael gwasanaeth Ioan Roberts, cyn olygydd rhaglen *Y Dydd* gyda mi yn HTV, i ddod i mewn fel gohebydd a chynhyrchydd – heb anghofio, wrth gwrs, gyfraniadau'r ddau newyddiadurwr hynny oedd wedi aros yn Radio Cymru, sef Aled Glynne Davies ac Allan Pickard, dau oedd yn barod iawn i'm helpu o'r diwrnod cyntaf ac a fu'n gwbl deyrngar imi.

Roedd patrwm gwaith gwasanaeth radio yn gwbl ddiarth imi, gyda'r pwyslais mawr ar ddenu cynulleidfa foreol. Roedd hi'n hanfodol felly fod crynswth yr egni'n mynd i'r paratoi yn hwyr y nos, yn ogystal â thynnu popeth at ei gilydd yn blygeiniol bob bore. Yn ystod y blynyddoedd hynny yn Radio Cymru, fe ddeuthum i ddysgu sut oedd gweithio dyddiau maith iawn – tra hefyd yn teithio'n ôl i'r Gogledd bob penwythnos.

Canolfan y BBC yn Llandaf, yr A470 ac ychydig oriau ym Methel, Arfon – dyna oedd patrwm fy mywyd. Ond cefais gyfle hefyd i gyflwyno gwahanol gyfresi materion cyfoes fy hun, gyda chymorth brwdfrydig Delyth Ennaf Davies, cyfresi fel *Piniwn* yn y gaeaf a *Deuoedd* yn yr haf. Rhaglenni a aeth â ni i wahanol rannau o Gymru i godi pynciau trafod lleol – rhai'n llwyddo, eraill yn dipyn o fethiant.

Roedd y gyfres *Deuoedd* yn dipyn o bleser. Cyfarfod â dau o'r un teulu oedd y bwriad a sgwrsio hefo nhw. Da y cofiaf y rhaglenni hefo Syr Thomas a Gruffudd Parry; Arthur Rowlands a Lisa Erfyl; Rhodri a Prys Morgan; Tegid a Dwyryd Wyn Jones; Merfyn Turner a'i frawd, ac Aneurin Rhys Hughes a'i chwaer.

Bûm yn hynod o ffodus o gael croeso yn ei gartref gan

yr actor, John Pierce Jones, am y cyfnod o flynyddoedd y bûm yng Nghaerdydd. Mae gen i ddyled fawr iddo am ei garedigrwydd ac mae gen i atgofion melys hefyd am y seiadau difyr a gawsom, a'r tynnu coes a fu. Diolch yn fawr, John Bŵts.

Criw rhyfedd ydi criw o hacs sy'n gweithio mewn un ystafell fawr, fel roedd hi yn Llandaf. Pedair adran yn gweithio'n gyfochrog: Radio Cymru, Radio Wales, S4C a Wales Today. Dyna fel yr oedd hi a doedd dim llawer o gydweithio rhwng y gwahanol gorneli – y duedd oedd i bawb fynd ei ffordd ei hun.

Roedd tuedd i'r hacs teledu gredu eu bod nhw'n fodau gwell na'r hacs radio, ac roedd rhai ohonynt yn anfodlon cyfrannu i'r gwasanaeth radio. Roedd hynny'n wir yn Gymraeg a Saesneg. Prin iawn oedd parodrwydd gweithwyr S4C i baratoi adroddiadau i Radio Cymru – roedd hynny'n rhywbeth oedd yn mynd o dan fy nghroen i, ond dyna oedd y drefn. Ar y pryd, doedd gen i ddim awdurdod i wneud dim ynglŷn â'r peth, ond pan gefais i hwnnw yn ddiweddarach fe wnes fy ngorau i sicrhau mai gweithio i un BBC yr oedd pawb. Roeddwn yn benderfynol o gael gwared â'r athroniaeth 'ni a nhw' oedd yn bodoli.

Gwnes fy ngorau hefyd i sicrhau bod newyddiadurwyr dwyieithog yn gweithio ar eitemau ar gyfer y gwasanaethau i gyd, yn hytrach na bod pedwar o ohebwyr y BBC yn cyrraedd stori. Yn aml iawn, roedd *un* yn ddigon ac un criw camera. (Wrth reswm, roedd yna amser pan nad oedd hynny'n bosibl.)

Fel y dywedais, roedd gweithio i'r pennaeth, Arwel Ellis Owen, yn gwbl dderbyniol i mi, ond roedd gofal pob dydd am y gwasanaeth yn disgyn ar ysgwyddau'i ddirprwy, David Morris Jones, cyn olygydd y rhaglen *Wales Today*. Brodor o Fiwmares, gweithiwr cydwybodol a gwas da i'r BBC, ond nid oedd ganddo'r syniad lleiaf sut i drin pobl. Yn sicr, doedd ganddo ddim parch o gwbl i'r rheiny oedd yn credu fod newyddiadura yn yr iaith Gymraeg yn bosibl. Fe'i clywais yn cyfeirio atom fel *'bunch of bloody amateurs'* ac roedd ganddo ddisgyblion o'i gwmpas oedd yn ddilynwyr teyrngar iddo.

Penderfynais yn fuan iawn nad oeddwn yn mynd o dan ei draed, er iddo ar amrywiol achlysuron geisio fy swatio. Roeddwn i'n barod bob amser gydag atebion i'w ddychan sbeitlyd a gwnâi Arwel ei orau glas, diplomatig, i gadw'r ddysgl yn wastad.

Ar y cyfan, roeddwn i'n gwbl hapus fy myd gyda chriw Newyddion Radio Cymru. Roedd yno awyrgylch gyfeillgar, hapus ac roeddynt yn ennill profiad o ddydd i ddydd. Roedd Aled Gwyn yn cynnig englyn newydd ar wahanol bynciau; roedd Handel Jones yr hunan-liwtiwr yn chwarae triciau, a daeth Glyn Thomas a Garffield Lloyd Lewis o'r coleg ym Mangor i gryfhau'r tîm. Oedd, roedd pethau'n datblygu. A dweud y gwir, roeddwn i'n gwbl hapus i aros yno hyd amser ymddeol. Ond cefais flwyddyn o anlwc ac anhwylder.

Yn gyntaf, yn dilyn taith bythefnos i Efrog Newydd ar gyfer yr etholiad Arlywyddol yn 1984, cefais afiechyd blin. Fe'm rhuthrwyd i'r ysbyty yn anymwybodol a bûm yn bur wael, ac roedd amheuaeth a oeddwn wedi cael y *Legionnaire's Disease*. Ond, ar ôl mis neu ddau, roeddwn yn gwella, a gellais fynd yn ôl i weithio.

Yna, flwyddyn yn ddiweddarach, ar bnawn Sadwrn,

cefais gebyst o ddamwain car ger y Felinheli – damwain a olygodd arhosiad o wythnosau yn Ysbyty Gwynedd ym Mangor, yn gynnwys cyfnod hir o orwedd yn ddisymud yn fy ngwely.

Bu'r ddamwain honno yn ddigwyddiad pwysig. Cefais gyfle i feddwl o ddifrif am fy mywyd a'm blaenoriaethau. Daeth y gyflafan â mi'n llawer nes at Eirlys ac Eleri, a gwneud imi sylweddoli fy mod wedi eu cymryd yn ganiataol am gyfnod rhy faith. Do, fe'm rhoddais fy hun yn y glorian go iawn ar lefel bersonol, a chael fy hun yn brin ar lawer cyfrif.

Dyn gwahanol iawn aeth yn ôl i Gaerdydd i ailafael yn ei waith wedi cyfnod o fisoedd o boen a gofid. Yn fuan ar ôl cyrraedd yno, daeth y newydd fod Arwel yn gadael Cymru gan ei fod wedi'i benodi yn Bennaeth Rhaglenni'r BBC yn Belfast. Ond yn ôl arferiad y BBC, nid llawenhau yn llwyddiant Arwel yr oedd yr hacs ond agor y llyfr betio ar bwy fyddai'n ei ddilyn. Yn ôl y drefn, cafodd pob un ohonom oedd yn y tîm golygyddol ein hargymell i geisio am y swydd, ac er mwyn dilyn y drefn fe wnes i hynny.

Ond yn fuan iawn ar ôl y cyfweliadau fe ddaeth y newydd mai David Morris Jones fyddai'n bos newydd. Awgrymwyd wedyn gan yr oruchwyliaeth fod y gweddill golygyddol yn ceisio am swydd ei ddiprwy. Penderfynodd dau ohonom, Jeffrey Iverson a minnau, nad oeddem am ymgeisio. Ar ddiwedd un cyfarfod cyn y cyfweliadau, meddai David Morris Jones wrthyf,

'You haven't shown an interest in the Deputy post.'

'No,' meddwn innau'n unsillafog.

'*You're not one of Nature's deputies, are you?*' meddai wedyn.

Ac yn sydyn o rywle fe ddaeth fy ateb: '*I'm certainly not your deputy, David.*' A fu pethau ddim yn dda wedyn.

Beth bynnag, Deryk Williams – golygydd Newyddion S4C – gafodd y swydd, a does gen i ddim byd i'w ddweud am hynny. Ond cyn bo hir iawn cyhoeddodd yntau'i fod yn gadael i ymuno â'i gyfaill, Euryn Ogwen Williams, yn S4C. Unwaith eto, roedd swydd Dirprwy Olygydd Newyddion a Materion Cyfoes yn wag!

Y tro hwn, ni fu hysbysebu. Cefais orchymyn gan y Pennaeth Rhaglenni, Teleri Bevan, i ymgymryd â'r gwaith – doedd dim dadlau i fod. Yn wir, doedd rhywun ddim *yn* dadlau hefo Teleri; unwaith yr oedd hi'n dweud, felly y byddai pethau. Onid oeddwn yn ei chofio fel Is-lywydd cadarn Undeb y Myfyrwyr ym Mangor? Felly, plygais i'r drefn.

Roedd hi'n amlwg y disgwylid i mi gymryd gofal o'r gwasanaethau Cymraeg ar Radio Cymru ac S4C. Y gwaith cyntaf oedd cryfhau gwasanaeth y Sianel o safbwynt newyddion, a hynny i gyd-redeg â darlledu *Pobol y Cwm* yn nosweithiol.

Roedd Teleri a'r pennaeth teledu wedi penderfynu mai BBC Cymru fyddai'n rhoi asgwrn cefn cadarn i'r Sianel o fewn y deng awr o raglenni wythnosol oedd yn dod o Landaf: hi a John Stuart Roberts a fentrodd wneud hynny, a mwy neu lai ddweud wrth bobl Clos Sophia mai 'fel hyn y bydd hi'. Ac felly, wrth gwrs, y dylai hi fod.

Partneriaeth ydi'r peth pwysig yn y berthynas rhwng y ddau gorff, a sicrhaodd Teleri a John a Gareth Price, y Rheolwr, mai felly yr oedd pethau'n gweithio. Ac roedd

S4C yn deall yn iawn hefyd sut roedd y drefn yn gweithredu. Mae perygl bob amser mewn perthynas rhy agos a chyfforddus yn y busnes cyfryngol yma. Mae'n rhaid gwarchod annibyniaeth y gwahanol gyrff. Dyna wnaeth y Tîm Rheoli yn BBC Cymru ar y pryd ac roedd S4C ar ei mantais o berthynas o'r fath.

O'm safbwynt i, fy nyletswydd oedd paratoi tair rhaglen newyddion bob dydd o'r Llun i'r Gwener, a bwletin ar y Sadwrn a'r Sul. Tipyn o dasg – o gofio mai un rhaglen hanner awr am saith bob nos oedd y drefn cyn hynny. Roedd yn her arbennig i Aled Glynne Davies, yr oeddwn wedi gofyn iddo gymryd gofal o *Newyddion* S4C, ac fe wynebodd y fenter yn frwdfrydig.

Roeddwn i'n credu y dylid cyflwyno'r newyddion o'r Gogledd ac o'r De, ac i'r perwyl hwnnw fe ddatblygwyd adnoddau stiwdio deledu a chyfleusterau eraill ym Mangor. Aeth Dewi Llwyd yno fel cyflwynydd, gan rannu'r gwaith gyda gwahanol gyflwynwyr yn y De – o Gaerdydd i gychwyn ac wedyn o Abertawe. Fe ddenais Keith Jones i mewn i fyd teledu amser llawn o'i waith fel Dirprwy Brifathro Ysgol Glantâf. Ymunodd Daloni Metcalfe â'r adran fel cyflwynydd awr ginio, ac fe ddechreuodd Gari Owen gyflwyno o'r stiwdio fach newydd yn Abertawe.

Wrth gwrs, bu raid ffarwelio ag ambell un ond gwell peidio dweud gormod am yr ymateb i'r penderfyniadau hynny! Yr oedd yna rai, wrth reswm, yn gwrthwynebu'r drefn newydd ond roedd ymateb y cyhoedd yn ffafriol – a nhw, wedi'r cyfan, ydi'r elfen bwysicaf yn y busnes cyfathrebu cyfryngol 'ma.

Yn anffodus, methais â chael yr un llwyddiant gyda'r

rhaglen newyddion *Heddiw* ar Radio Cymru, gyda Vaughan Hughes yn cyflwyno ym Mangor a Russell Isaac, ymhlith eraill, yng Nghaerdydd. Nid bod y rhaglen yn fethiant – yn wir, roedd yr ymateb cyhoeddus yn eithaf brwdfrydig. Yn anffodus, er hynny, mae lle i gredu fod yna wrthwynebiad sylfaenol o fewn adran rhaglenni cyffredinol Radio Cymru i fodolaeth a datblygiad rhaglen o'r fath, ac roedd yna gymeriadau cryfion ym Mangor, Abertawe a Chaerdydd yn gwneud eu gorau glas i danseilio'r cynhyrchiad. Mae lle i gredu hefyd bod yna rai ymhlith tîm cynhyrchu'r rhaglen ei hun oedd yn dymuno gweld ei chladdu. A dyna ddigwyddodd yn y diwedd – cafodd y gwrthwynebwyr eu ffordd, a llithrodd newyddion i'r cefndir yn arlwy boreol Radio Cymru. Roedd hynny'n dristwch mawr i mi, ac yn gam pendant yn ôl.

Ar y llaw arall, o dan arweiniad Gareth Bowen a John Curzon, roedd Radio Wales yn fywiog effeithiol a *Wales Today,* dan ofal Geoff Williams a Lowri Morgan a chyflwynwyr fel Vincent Kane a Sarah Edwards, yn cymryd camau breision ymlaen. Nid yn aml yr oedd John Birt, y Dirprwy Gyfarwyddwr Cyffredinol yn Llundain, yn sgwennu nodyn personol yn cyhoeddi fod *Wales Today* yn '*brand leader*' ymhlith rhaglenni rhanbarthol nosweithiol y BBC ledled Prydain.

Ond yr adran a roddodd y pleser personol mwyaf i mi oedd adran faterion cyfoes Saesneg *Week In Week Out*, o dan olygyddiaeth David Nicholas. Tîm bach o lai na hanner dwsin o bobl a gynhyrchodd raglenni cofiadwy yn wythnosol o bob rhan o Gymru, a llwyddo i ennill un o brif wobrau'r diwydiant teledu drwy wledydd Prydain.

Ar ôl cyfnod digon cymysglyd rhyngof fi a David Morris Jones, daeth neges sydyn i mi. Roeddwn newydd gyrraedd fy ngwesty yn Ninbych y Pysgod un pnawn Gwener ar gyfer Cynhadledd Democratiaid Rhyddfrydol Cymru yn y gwanwyn, pan gefais neges i ffonio Gareth Price, y Rheolwr, yng Nghaerdydd.

Pan gysylltais ag o, dywedodd y byddwn yn cael fy mhenodi'n Bennaeth Newyddion a Materion Cyfoes BBC Cymru y bore Llun dilynol. Roedd Morris Jones yn gadael am swydd arall ac roedd pawb yn cytuno, yng Nghaerdydd a Llundain, fod y swydd gyda'r teitl newydd i'w chynnig i mi. Ond nid oeddwn i yngan gair wrth neb, gan fod David Morris Jones am gyhoeddi'i ymadawiad mewn cyfarfod staff y peth cyntaf ar y bore Llun. Yn union wedi hynny fe gyhoeddid fy mhenodiad i.

Chefais i ddim cyfle i drafod – roedd y dewis wedi'i wneud trosof – ond chymerais i fawr o ddiddordeb yn y gynhadledd ac roedd David Nicholas, a oedd yno'n cynhyrchu a golygu, yn methu deall pam fy mod i'n dawedog ac yn diflannu i'm hystafell bob hyn a hyn.

Cafodd oleuni ar y mater y bore Llun dilynol. Fe ddigwyddodd popeth mor sydyn fel na chafodd neb gyfle i drafod, gwleidydda na chynllwynio – roedd y drol yn mynd yn ei blaen gyda cheffyl newydd yn y llorpiau.

Fe allwn innau fy llongyfarch fy hun a dweud mai fi oedd yr unig hac a oedd wedi bod yn Bennaeth Newyddiadurol HTV a BBC yng Nghymru!

Yn bwysicach na hynny, roeddwn i wedi profi i mi fy hun ac i'm beirniaid saith mlynedd ynghynt – y bobl hynny a'm lluchiodd ar y domen fel hanner lleidr, fel camweinyddwr, fel embaras ac fel methiant – nad oeddwn i ddim cweit y twpsyn diffaith yr oeddan nhw wedi'i ddarlunio. Ac mae'r diolch am hynny i ffydd a hyder pobl fel Geraint Stanley Jones, Gareth Price, Teleri Bevan a John Stuart Roberts ynof.

Fe gefais dair blynedd a hanner prysur ac eithaf dramatig yn y swydd. Bu newidiadau dramatig yn hanes BBC Cymru hefyd yn ystod y blynyddoedd hynny.

Wedi'r penodiad, cefais eistedd ar y Bwrdd Rheoli yn Llandaf, a'r syndod cyntaf oedd clywed, yn ddirybudd, fod Gareth Price yn gadael swydd y Rheolwr. Wrth gwrs, roedd y lle'n dân gwyllt. Pwy fyddai'n cael ei orseddu fel y pen bandit newydd? Roedd y sibrydion yn frith. Rhai'n datgan mai rhywun mewnol fyddai'n 'symud i fyny'; eraill yn bendant mai rhywun o'r tu allan fyddai'n dod.

Roeddwn i'n gwbl sicr yn fy meddwl fy hun mai person newydd sbon o'r tu allan i'r BBC ddeuai i Gaerdydd. Roedd un peth yn sicr – o fewn dwy flynedd i oed ymddeol y Gorfforaeth, doedd o'n gwneud dim gwahaniaeth i *mi*. Beth bynnag, hysbysebwyd y swydd a deallais fod y Bwrdd Penodi i gyfarfod ar ddyddiad arbennig, a gwyddwn fod dau, os nad tri, o staff hŷn Caerdydd ar y rhestr fer.

Wythnos cyn hynny, roedd Gareth Price a minnau i fod i gyfarfod David Owen, Prif Gwnstabl Gogledd Cymru. Roeddan ni'n disgwyl cyfarfod stormus, ac fe gawsom un. Dros ginio, cafodd Gareth ei alw at y ffôn: roedd panic yng Nghaerdydd gan fod stori ar led fod Rheolwr Newydd BBC Cymru wedi cael ei benodi, a hynny cyn bod y cyfweliadau swyddogol wedi digwydd.

Mae'n amlwg fod cryn embaras ynglŷn â'r sefyllfa, ond o fewn ychydig oriau cafwyd y cyhoeddiad swyddogol: rheolwr newydd BBC Cymru fyddai Geraint Talfan Davies.

Er chwilio a chwalu, chefais i ddim gwybod manylion y bennod ryfeddol hon. Y peth pwysig i mi oedd fod yna bennaeth newydd, ac y byddai'n rhaid i bob un ohonom addasu a dysgu gweithio o dan arweinydd arall a fyddai'n dod â phrofiad blynyddoedd o weithio ym myd teledu masnachol yn HTV a Theledu Tyne Tees. Roedd gen i deimlad bod Llandaf i mewn am dipyn o sioc.

Cyfnod cymysglyd oedd hwnnw cyn dyfodiad Geraint Talfan – cyfnod o ansicrwydd, yn enwedig felly ymhlith y tîm rheoli. Pawb yn ofni a phawb yn holi. Wedi iddo gyrraedd, fe aeth ati i dorri'i gwys ei hun yn union fel y disgwyliwn iddo wneud o'm hadnabyddiaeth i ohono.

O fewn ychydig amser, roedd yr holl dîm rheoli wedi mynd – dim ond y Pennaeth Ariannol a minnau oedd ar ôl. Fe gytunodd Geraint a minnau y byddwn yn cael blwyddyn o estyniad fel y gallwn aros mewn swydd dros gyfnod Etholiad 1992. Y trefniant oedd y byddwn yn gadael ddiwedd Hydref y flwyddyn honno, yn dilyn fy mhen-blwydd yn drigain ac un. Ac felly y bu.

Gadewais Landaf ar ôl cyfnod o ddeng mlynedd anturus, diddorol a phleserus. Bellach, roedd bugeiliaid newydd yn y Taj Mahal, ac roeddwn innau'n swyddogol yn hen bensiynwr.

Roeddwn wedi cael cyfnod hir – dros ddeng mlynedd ar hugain – ym myd y cyfryngau yng Nghymru, ac o edrych yn ôl bryd hynny, roeddwn i'n teimlo'n eithaf balch o'r hyn yr oeddwn wedi bod yn rhan ohono.

Rŵan, dros ddeng mlynedd yn ddiweddarach, a minnau wedi bod yn ddigon ffodus i allu parhau i ddarlledu a sgwennu, rydw i'n teimlo yr un mor falch. Balch o weld y rheiny y bu rhywun yn rhan o'u meithrin a'u cychwyn nhw yn dal ati i gynnal safon yn eu gwahanol feysydd. Mae'r rhestr yn rhy faith i feddwl am gychwyn enwi, ond bob tro y byddaf yn clywed eu lleisiau, eu gweld ar y bocs, neu'n darllen amdanyn nhw'n gwneud gwaith da yn eu gwahanol swyddi, mi fydda i'n dweud yn dawel, 'Dwi'n eu cofio nhw'n cychwyn' – ac mi fydda i'n teimlo balchder.

Ond mae 'na bethau sy'n peri pryder imi – yn enwedig ynglŷn â darlledu a theledu yn Gymraeg. Mae safon ieithyddol y to ifanc sy'n dod i mewn i'r diwydiant heddiw yn peri gofid mawr i mi, ac yn peri imi ofyn cwestiynau sylfaenol am safon ein hysgolion a'n colegau. Afraid beirniadu'r cyfryngau – ar ein system addysg y mae'r bai am yr iaith fratiog a'r idiomau Seisnig a glywir ar ein tonfeddi heddiw.

Rydw i'n pryderu hefyd bod ein cyfryngau Cymraeg yn mynd yn eiddo i un dosbarth o bobl – ac yn wir, yn waeth na hynny, fod aelodau o deuluoedd cyfain bellach yn eu cael eu hunain yn y cyfryngau Cymraeg. All hynny ddim bod yn sefyllfa iach.

Rydw i'n hynod falch fod Eleri, fy merch fy hun, wedi ymwrthod â cheisio am swydd gyfryngol. Ond, a bod yn onest, fe *wnaeth* hi hynny unwaith, er imi ofyn iddi beidio! Ceisiodd am swydd yn fy adran i, ond fe wnes i'n gwbl sicr nad oedd gen i ddim i'w wneud â'r penodiad. Welais i mo'r ceisiadau na'r rhestr fer ond dywedodd Eleri wrthyf wedyn iddi gael cyfweliad ym Mangor, a'r cwestiwn cyntaf a gafodd gan gadeirydd y panel holi, sef y Dr R. Alun Evans, y pennaeth yn y Gogledd, oedd hwn:

'Ydach chi'n credu fod gynnoch chi hawl i'r swydd yma, o gofio mai'ch tad ydi pennaeth yr adran?'

Yr unig ateb allai Eleri ei roi oedd:

'Mae gen i fam hefyd.'

Chafodd hi mo'i phenodi, ond dydi hi byth wedi anghofio'r cwestiwn nac wedi maddau ychwaith. (O'm rhan fy hun, fe wn i i sicrwydd na ofynnwyd cwestiwn o'r fath i'w ferch o pan benodwyd hi, yn gwbl deg, yn ohebydd yng Nghaerdydd – roeddwn i yno!)

Mae'n un mlynedd ar ddeg bellach ers imi roi'r gorau iddi hi, yn swyddogol felly, ond rwy'n dal ati i ddarlledu'n rheolaidd. Ar y radio, wrth gwrs. Mae bosus S4C wedi llwyddo i'm cadw oddi ar y Sianel ers ugain mlynedd a mwy. Do, fe gefais gyflwyno un gyfres o'r rhaglen *Pawb â'i Farn* – dim ond un. Dim byd arall, ar wahân i'r darnau bach dychanol am rai blynyddoedd yn rhaglenni'r BBC o'r Eisteddfod Genedlaethol, ac i Teleri Bevan a John Stuart Roberts y mae'r diolch am hynny hefyd.

Mae paratoi fy rhaglen fy hun bob pnawn Llun, yn ogystal â rhifyn misol o'r rhaglen *Manylu*, a hefyd adolygu'r wasg Gymraeg bob bore Gwener yn bleser pur imi.

Yn ychwanegol at hynny, rwyf wedi cael dweud fy nweud yn y cylchgrawn *Golwg* a rŵan yn *Y Cymro*. Mae'r cyfan yn gwneud bywyd yn ddiddorol, ac mae ymateb pobl yn dal i gyffroi rhywun – boed yn ganmoliaeth neu'n feirniadaeth.

Na, does dim ar ôl o'r hen fwthyn bach Penbont, Gwredog, Llannerchymedd, lle gwelais gyntaf olau dydd ddeuddeg a thrigain o flynyddoedd yn ôl – a go brin fod yna fawr ddim gwerthfawr ar ôl yn y byd yma wedi i mi droedio'i lwybrau dros gyfnod sydd wedi mynd â mi dros oed yr addewid.

Ond gallaf ddweud, â'm llaw ar fy nghalon, i mi dorri fy nghwys bersonol fy hun heb bwyso ar neb na gofyn ffafrau, na derbyn rhai chwaith. Fe lithrais ar amrywiol achlysuron – mae gen i fy siâr o wendidau a does neb yn fwy ymwybodol o hynny na'm teulu agosaf. Ond pa les athronyddu? Roedd Parry-Williams yn llygad ei le pan ddywedodd,

Ac am nad ydyw'n byw ar hyd y daith
O gri ein geni hyd ein holaf gŵyn,
Yn ddim ond crych dros dro neu gysgod craith
Ar lyfnder esmwyth y mudandod mwyn;
Ni wnawn, wrth ffoi am byth o'n ffwdan ffôl,
Ond llithro i'r llonyddwch mawr yn ôl.

Amen, meddaf innau!